JN073087

《町屋風景》 2020 カンヴァスに油彩 410 × 318 mm

《西台アパート》 2020　カンヴァスに油彩　652 × 530 mm

《MIYASHITA PARK》　2020　カンヴァスに油彩　606 × 500 mm

《外濠端景》　2020　カンヴァスに油彩　652 × 500 mm

《麻布風景》 2021　カンヴァスに油彩　606 × 410 mm

《港北ニュータウン》 2021　カンヴァスに油彩　727 × 500 mm

《大川水景》 2021　カンヴァスに油彩　1000 × 652 mm

《アトリエクロー》 2022　カンヴァスに油彩　625 × 510 mm

オイル・オン・タウンスケープ

オイル・オン・タウンスケープ◉目次

装丁　奥定泰之
装画　中島晴矢

第一号　浮浪する根拠地——町屋風景

初めて油絵を描いたのは、高校の美術の授業だった。

友人の顔を描くという課題で、私は美術室でたまたま席が近かった寺田くんの横顔を描くことにした。寺田くんは「金正日」というあだ名の持ち主だった。ルックスがよく似ていたからである。ややずんぐりとした背格好にメタルフレームの眼鏡、何よりチリチリの毛髪に、件（くだん）の総書記の面影が刻印されていた。北朝鮮が耳目を集めていた当時、無遠慮な中高一貫の男子校で、寺田くんは入学直後から必然的に「正日」、なんなら「ジョン」と親しげに呼ばれていたのだ。

そんな正日（ジョン）の横顔を見つめながら、気の向くままに筆を走らせていく。そういえば、私に初めてほんもののセックスを教えてくれたのも彼だった。

同じクラスだった中一の時、学校帰りに正日の家へ寄ったことがある。共働きの両親が出払った自由が丘の瀟洒なマンションの一室で、その大人びた風貌通りなのか何なのか、パソコンと性にやたら精通していた彼は、海外のポルノサイトを見せてくれたのだ。

「これが女性器で、こうやって挿入するんだぜ」

正日はしたり顔で、画面いっぱいに映し出された無修正の結合部を指差す。いきなりの洋モノである。むき出しの性器とあからさまな嬌声に面食らう。そのあまりに動物的な媚態から、どこか別世界の儀式みたいなものを連想しながら、しかし性的好奇心に駆られて青白く発光するディスプレイを食い入るように見つめる私たちは、むろん二人とも童貞だった。

そんな下らない雑念が浮かび上がる彼の相貌を、授業時間内でなんとかカンヴァスに写し取る。これまでに私が描いた油絵は、その一枚きりである。

*

油絵を描いてみよう、と思った。

私は油絵に関して全くの素人だ。アーティストという肩書きを名乗っているが、もっぱらつくってきたのはいわゆる現代美術であり、絵画や彫刻をアカデミックに学んだ経験はない。大学も美術系ではなく文学部だった。唯一芸術を学んだのは美学校だが、その極めて私塾的な教場で、基礎的な技法を教わったことはない。だから私は、ろくにデッサンすらとれないのである。

それでも美術なるものに携わっているのは、少なくとも私にとって、それが最も懐の深いジャンルに感じられるからだ。自分がその都度やりたい表現を行い、それらが一つひとつ積み上がっていった先に、「様々なる意匠」を受け入れてくれる器としての〈アート〉があった。

主につくってきたのはコンセプトを軸に置いた作品だ。映像や写真、オブジェ、平面、パフォーマンスなど、要するにメディウムは問わない。現代美術の始祖がマルセル・デュシャンであるとすれば、そのテーゼの一つには、レディメイドに代表される「手癖の排除」がある。工業製品である便器にサインを施しただけで、そのまま展示台に載せてしまうこと。そうした手つきを念頭に、多様なコンテクストをサンプリングしながら作品を編んできた。ただ、その手法にある種の硬直を感じ始めていたのも事実だ。そんな折に、油絵を描いてみたいと思ったのである。

引用に目配せせず、手癖を残したまま、カンヴァスに絵具を乗せていく。それが裸を見られるような羞恥を伴うことは容易に想像できた。だが、裸を晒すことこそあらゆる芸事の根幹ではなかったか、と自分に言い聞かせる。モチーフは風景と決めていた。それは決して自然の情景ではない。市街の風景だ。そもそも「風景」とは、〈風景画＝ランドスケープ〉を起源とし、そこから内的な眼差しによって、徐々に獲得されてきた概念である。その道程を遡るようにして、風景画、とりわけ〈街並みの風景＝タウンスケープ〉を描く。それも、ほとんど丸裸の画力で。

頭の片隅にいるのは、大正から昭和を生きた画家・長谷川利行だ。日暮里の寺や浅草の木賃宿を根城に、放浪しながら下町の風景を描いた。もともと短歌を詠み、齢三〇にして上京。そこから独学で画家を志すようになった利行の筆致は、文人画家の系譜に連なっている。文人画とは、職業画家ではない文人が余技で描いた絵画を指す。恥ずかしげもなく言えば、非専門家が自らの娯(たの)しみのために制作するという点において、私が描きだそうとしているのもまた、いわば文人画みたいなものなのかもしれなかった。

*

真っ先に頭に浮かんだのは、油彩道具の詰まった木箱のセットだ。

だが、調べてみると思った以上に値が張る。であれば、逆に最安値でいいと高を括り、Amazonで「油絵具ファースターセット」なるものを注文してみた。翌日に届いたのは、予備校生が持つような安っぽいプラスチックのキャリングケース。そこに、一二色セットの油絵具、ペーパーパレット、透明な液体の入った数本の小瓶、ペインティングナイフ、そして大中小の絵筆が詰め込まれていた。

浪人時代に戻ったような心持ちで、プラスチックケースを提げ神保町におもむく。靖国通りを折れて少し、雑居ビルの三階にあるのが美学校だ。一九六九年に現代思潮社によって創立された、美術をはじめとする多領域の表現を取り扱う、学校のような私塾である。同世代のアーティスト二人と「現代アートの勝手口」という講座を立ち上げ、講師を務めるようになって初年度、その修了展の日だった。受講生は、「学歴・年齢・国籍 不問」という美学校のコピー通り、年齢もキャリアも様々な人が集まってくれた。彼・彼女らが、一日限りの修了展を自主的に企画したのである。

どういうわけか、授業の流れで講師も新作を出品しなければならなかった。思案した挙句、描こう描こうと思っていた油絵を出すことに決めていたが、会期までにまとまった時間が取れず、描き出すことすらできずじまい。結局、展覧会当日にライブペインティングをしてしまうことにした。もはや投げやりである。でも、講座名の通り、各人がそれぞれ「勝手」にやればいい。それでいいじゃないか。

美学校に着くと、まだ生徒たちが作品の設営中だった。展示初日、オープン前によく見る朝の光景。昨夜は、講師の一人である齋藤恵汰も含め、屋上の掘っ立て小屋に泊まったのだという。徹夜で搬入と設営を済ましてしまうつもりが、一晩中酒盛りをしていたそうだ。まだ作品を持ってきていない生徒もいて、ぽっかりと空いたままの壁面もあるが、寝不足と二日酔いで重い足を引き摺りながら、皆作業に勤しんでいる。

そんな中、私には部屋の一角があてがわれた。さっそく、教場の奥から年季の入ったイーゼルを引っ張り出して設置し、例のプラスチックケースを足元に、そしてこちらもAmazonで購入したF六号のカンヴァスをイーゼルに立て掛ける。カンヴァスは角に若干シワが寄っており、張りが弱い気もするが、安物だから文句は言うまい。ライティングをしていた生徒に照明を当ててもらい、継ぎ接ぎだらけの丸椅子に座ると、見世物になったようで悪い気分ではなかった。

なんとか展示空間が完成し、開廊時間を迎える。私は各道具のシュリンク包装を破るところから始めた。油壺もオイルも使い方が全くわからない。正日（ジョン）を描いた時の手順など、何一つ覚えていなかった。

　受講生の中には美術大学の油画科に通う学生もいるが、ぱらぱらとある来客の対応に忙しそうだ。恵汰は向こうの部屋で、来場者にお茶を淹れて感想を聞き出すというパフォーマンスをしている。そこで、もう一人の講師であるペインターの藤城嘘に油絵の心得を訊ねてみた。

　彼は今回、アクリル絵具で描かれた小ぶりな平面をきちんと用意してきていた。マゼンタや紫で構成された地に、曖昧に崩された「現代アート」の文字が散らばる。画面中央には羽の生えた少年（少女？）のキャラクターが据えられ、藤城作品のキーアイコンである〈目〉が灰色に輝いている。四角く縁取られた耳は黒々と塗り潰されており、梯子段のような描線が降りているから、おそらくそこが「勝手口」なのだろう。

「一般的には、初めに薄い黄色や茶色で下描きをして、そこから濃い色を乗せていくイメージですね」

　嘘くんはややあきれながらも、一から丁寧に教えてくれる。油壺の使い方、描画油と筆洗油の差異、他にも用意すべきもの。描き出しから仕上げにかけて、オイルの調合を変えていく必要があるらしい。だんだん乾性油の量を増やし、テレピン油の割合を減らしていかねばならないそうだ。

「そうしないと、絵が乾きませんよ」

「え、乾かないの？」

「もちろん美大受験生みたく、速乾性のメディウムを混ぜるなんてやり方もありますが、絵肌が脆くなってしまうのであまりお勧めはできません。少なくとも数日間は置いておいた方がいいですね」

「そうだったのか……今日持って帰ろうと思ってた」

「それは無理ですよ」

と、嘘くんは苦笑する。

「例えば厚塗りだと、油はなかなか揮発しません。だから表面は乾いていたとしても、その内側の絵具は何年も、場合によっては何十年も乾かないものがあるくらいです」

「何十年も……」

ずっと乾かず、皮膜の内部にどろりとあり続ける絵具を想像してみる。当たり前に、油絵とは〈物質〉であり、絶対的な〈他者〉なのだった。

*

嘘くん曰く「道具が充分ではない」ということで、ライブペインティングを放り出し、買い出しに行くことにした。美学校から最寄りの画材屋は、すずらん通りを挟んで三省堂書店の向かいにある明治創業の老舗・文房堂だ。

そういえば、初めて展覧会に参加したのも文房堂だった。重厚なファサードを備えた建物の四階にある、広い貸しギャラリー。そこで、当時通っていた美学校のクラスの修了展があったのだ。二十歳（はたち）の時である。

出品したのは、白地に黒一色で偏執的に描き込んだ、大きなペン画だ。その頃かぶれていた『ガロ』的なタッチで、肉体や性器をデフォルメしたモチーフが凝集する平面である。タイトルは《マスターベーション曼荼羅》。文字通り、後ろ暗い青年期のリビドーだけで描き上げたような作品だった。

会期終盤、その作品はふらりと立ち寄った男性に、なんと言い値で売れてしまった。背広姿で年配のその人は、学生だった私からすれば、かなりの大金をその場で支払うと、作品は後日、社の方に持ってきてくれればいいと言う。差し出された名刺を見ると、とある美術系の出版社の社長ということだった。

後々痛感するように、それは言わずもがなビギナーズラックに過ぎなかったが、やはり舞い上がる気持ちはあった。お金云々ではなく、拙いながら自分の表現が学校や仲間の外に届いたように思えたことが、何より嬉しかったのだ。その快感に浸って以来、いよいよ人生の舵をアートに切って、気づけば引き返せないところまで来てしまっているのだけれど。

一階の油彩コーナーで、筆洗器やオイル類を買う。

オイルは、文房堂のオリジナル商品で「描き出し」「描き込み」「仕上げ」とラベリングされたものがあった。テレピンだとか何だとかが、それぞれに程よく調合されているのだろう。多分、これで「充分」なはずだ。

美学校に戻ると、受講生たちの友人を中心とした来客で賑わっていた。彼らに私が講義の中で出したのは、「根拠地を示す」という課題だ。「根拠地」とは、例えば故郷や家庭、性別、あるいは人種など、その人にとって自らの足場になっていると思える要素である。その提示こそが、表現者として出立するにあたっての第一歩だと考えるからだ。

思えば私もまた、「根拠地を示す」ことでアーティストとしてデビューした感がある。田園都市線沿線のニュータウンを出自とする私は、その平穏でつるりとした風景に対し、非日常の祝祭を繰り広げるサブカルチャーとして、プロレスをぶつけた。東京での初個展で発表した《バーリ・トゥード in ニュータウン》という映像作品である。書き割りのような郊外の街並みを背景に、延々とプロレスを続けることで、自身の根拠地を逆説的にリプレゼントしたものだ。

「勝手口」の修了展では、自分が出した課題を回収する形で、現在の根拠地を示すことにした。もちろんニュータウンをはじめ、これまでにもいくつかのルーツを作品化してきたが、おそらく芸術は、その時々に自らの〈いま・ここ〉を記述することができる最良の手段の一つである。浮浪して刻み続ける原風景——そんな私にとっての根拠地は、二年ほど前に引っ越してきた、荒川区の町屋だ。

＊

東京の東側に位置する町屋は、その名の通り家屋が密集した、下町の風情を残す街だ。チェーン店に混じって小さな個人商店や古めかしい建物が並び、路地が錯綜している。市街の中央を尾竹橋通りが南北に貫いていて、すぐ北に流れる隅田川を跨げば足立区の北千住、南に行けば日暮里だ。これも下町という呼称の通り、この辺り一帯は土地が低く、ハザードマップは真っ赤である。幸い大型台風で浸水などの被害は起こらなかったが、とにかく火事が多い。この二年で、込み入った民家から煙が上がるのを数件は見た。

鉄道は、千代田線と京成線、そして都電荒川線が通っている。今は「東京さくらトラム」という名前で呼ばれているが、東京に現存する唯一の路面電車だ。誰かが書いていた、「路面電車のある街は知性を感じる」という言葉がぴったりと当てはまる。この小さな電車にとことこと揺られれば、終点の三ノ輪橋まではすぐ。逆方面へ向かえば、王子の手前でぐいっと大きくカーブして、小高い飛鳥山の坂道をぐんぐんと登っていく。線路は民家の背中の間を縫うように走る。さながら身体感覚を拡張した、モビールによる路地散歩である。

散歩と言えば、駅前の複合施設は「サンポップマチヤ」。なんとも力の抜けるネーミングで、やけに気に入っている。荒川区役所の方へ足を延ばせば、迷路じみた道中に突如、場違いなほど立派な図書館「ゆいの森あらかわ」が現れる。その中には日暮里出身の作家・吉村昭のちょっとした文学館も併設されている。

すぐ隣の三河島には、ハングル文字の看板を掲げたキリスト教会が散見される。昔からコリアンの住民が多い地域なのだろう、焼肉屋が豊富で、どの店も一様にレベルが高い。ひときわ美味しい肉が廉価で食べられる「正泰苑」には、数ヶ月に一度、ついご褒美的に出掛けてしまう。

尾竹橋通り沿いには色々な店が並ぶ。木造の格子戸を構えた鰻屋や、いつの時代のものか不明な在庫をぞろりと揃えたおもちゃ屋、土間に土鍋が展がる食器屋、きもの屋、刃物屋、なんでも屋と、専業店が軒を連ねる。

最近閉まった「百番」という町中華には、なかなか入る勇気が出なかった。店頭のガラスケースに陳列された食品サンプルには、埃が堆(うずたか)く積もり、磨りガラスの扉からは店内が見通せない。とはいえ祝日には客が列をなしていることもあり、意を決して足を踏み込んでみると、もやしラーメンと餃子が絶品だった。閉店が決まった最後の一週間は、毎日長蛇の列ができたほどで、この街の根強い地域性を実感する。

じじつ、地元愛によって駆動している店は多い。新しく開店する飲食店の多くは、店主が町屋出身らしく、故郷に錦を飾りに戻ってくるのだった。

最近できたラーメン屋の「千祥」は、値段も味も立地も勝り、もう少しだけ奥にあったチェーンの家系ラーメン店の客を、ほとんど持っていってしまったようだ。引っ越してすぐオープンした亀戸ホルモンの暖簾(のれん)分けだという「ホルモン弘」も、若きオーナーは町屋の生まれ。この店ほど焼いて縮まらないホルモンを、私は他に知らない。

何より、いい居酒屋が多いのだった。どこも老舗の風格があり、しかし決して気取らず、肴が美味くてしかも安い。駅近くの「甲州屋」では生ホッピーが飲めて、白子の天ぷらや鳥刺が堪らない。京成駅前の「沢庵」は、看板通り若い大将タクちゃんが切り盛りしていて、貝やクジラまで並ぶ刺し盛りの気前がいい。広い座敷を有する「大内」はいつも老若男女でいっぱいだ。老年のご婦人方が女子会をしていたり、子連れが多かったりするのは、いかにも下町らしい。

荒川線沿いを尾久の方に進むと、いくつもの赤提灯が点(とも)っていて、もつ焼き屋「亀田」では電気ブランが飲める。尾久には、〈忘れられた東京〉とでも言うような鬱屈した静けさが漂っている。たしかあの阿部定事件も、この辺りで起きたのだった。

駅近くの路地裏にある「なりきん」は、全くもって成金感のない店構えだ。

どんな店だろうと暖簾をくぐると、大将が一人で回していて、ＢＧＭはテレビ。小さなホワイトボードにその日のメニューが書かれ、ウィスキーとホッピーの割り物だろう、「ウッピー」なる酒も置いてある。

大将は煙草を片手にテレビを見ている。客側が店主の動きに気を遣いながら注文する、それくらいでちょうどいいのだ。

手洗いに立った常連らしいおばちゃんが、カウンターに戻ってくる。

「トイレにかかってるカレンダー、あれ、ゴッホ？」

「ああ、たしかゴッホだよ」

「あたしこの前、上野でゴッホ展を見てきたの」

「そりゃいいね」

大衆酒場での突然のゴッホ……そんな出会いに、言い知れぬ楽しさを感じるのだった。

＊

私の住まいは、尾竹橋通りに面したマンションだ。いくつかの物件を見て回ったが、決め手となったのはその名称である。こちらはゴッホならぬ「ボナール」なのだ。ナビ派の画家であるピエール・ボナールは、これといって好きな作家というわけではなかったが、その大した意味のない符合になぜか心惹かれたのだった。

引っ越してから知ったが、実は美術家の会田誠が近所に住んでいる。何日か家を空けるということで、会田家の飼い猫であるほくろに、私がエサをやりに行ったこともあった。会田さんはいつかの個展で、人は二階より上に住むべきではないという「セカンド・フロアリズム」なる概念を打ち出していたが、我が家はそれよりもやや高階にある。まさしく今の自分の根拠地である、そんな家のベランダからの風景を油彩のモチーフに選んだ。

——下方に尾竹橋通りが横切り、そこから道が奥へと延びていて、手前の青い建物の屋上には、なぜか怪物のモニュメントが鎮座している。横断歩道を渡る人影と、グレーの自動車。背の低い建物が画面の向こうまで重なって、遠くではスカイツリーが空を支えている。……

ライブペインティングを再開すると、描くことそれ自体の心地よさにすぐ魅了された。風景の輪郭をなぞり絵具を塗り足していく、その逡巡を包摂するぬるぬるとした行為の断続。そうして筆を滑らせながら、生徒や来場者と喋っていると、美学校の講師も務める佐藤直樹さんが立ち寄ってくれた。佐藤さんはデザイナーだが、ここのところずっと「描くこと」に回帰し、鬱蒼と生い茂る樹木を長大な画面に描き続けている。

油絵を描いてるんです、と言うと、匂いでわかるよ、と笑われた。

「議論をする時だってなんだって、皆こうやって、手を動かしながら話せばいいんだ」

今日は君が絵を描いている姿を見られてよかったよ、佐藤さんはそう言って去っていった。

夕方になるまで描いたが、やはり未完成に終わった。とりあえず美学校の乾燥棚に置いて、後日アトリエで手を入れようなどと考えながら講評会になだれ込む。受講生たちは各々の作品を展示しているが、「根拠地を示す」という課題に呼応した作品が何点かあった。

例えば韓国人であり、日本に留学してから脚本の仕事に就いているナウォンさん。韓国でも居住地を転々とし、さらに日本へ移ってきた彼女にとって、明確な「根拠地」はない。しかし強いて挙げるとすれば、それは品川の入国管理局になるという。来日する際に、必ずと言っていいほど立ち寄らなければならないからだ。そこで彼女は、品川駅から外国人だらけのバスに乗り込み、多言語が飛び交う入国管理局のチャイルドスペースで、ジェンガをした。ジェンガは、バベルの塔のようにぐらぐらと揺れ動く移民問題のメタファーだ。その一連のパフォーマンスを八ミリフィルムで撮影し、映像インスタレーションとして展開している。

また、わざわざ愛知から授業に通っていた宇留野くんは、大型のオブジェを二点展示していた。滋賀の田舎出身でありつつ、金属工場に勤めていた経験から、彼の根拠地の引き裂かれた二重性——自然と人工——に焦点を当てている。作品の一つは、獣の頭骨を使ったキネティックアートだ。口腔に液晶ディスプレイが仕込まれ、頭部がモーターで動作していて、近づくと「ワン！」と鳴く。かつて飼い犬の太郎が失踪してしまったことを受け、近所の河原で拾った骨を機械仕掛けにして、新しい命を吹き込んだという。当然、太郎はもう死んでしまっているだろう。その亡骸がどこにあるかは、今も誰にもわからない。

〈骨〉の質感には、ちょうど身に覚えがあった。修了展の一週間前に、父方の祖母が亡くなったからだ。

*

年末から患っていた肺炎を拗らせていたが、死因はほとんど老衰に近いということだった。だいたい、ここ数年はもうすっかりボケていて、息子である父のことも判別できない有様。神奈川県大和市のつきみ野に住んでいたから、私たちは「つきみ野のおばあちゃん」と呼んでいた。

おばあちゃんの趣味は油絵で、近所の絵画教室に通っていた。だから、つきみ野の家にはたくさんの油絵が飾ってある。父や祖父の描いた絵も混じっていたが、多くはおばあちゃんの筆によるもので、そのほとんどは素朴な風景画だ。そんな家で、私は妹と絵を描くのが好きだった。油彩でこそなかったものの、鉛筆やペンや水彩で、よく漫画のキャラクターを模写したりしていた。

おばあちゃんの弟が画家だということは、小さい頃からなんとなく聞いていた。ただ、芸術家になるということで、いつかはよく知らないが、親類とは縁を切ったのだという。だから私も会ったことはないし、深追いしたこともない。父はかつて、その人、つまり父にとっての叔父に、絵を教わっていたらしい。その人は今でも、千歳烏山で画塾を経営しているということだった。

葬儀は、大和市の総合ホールで執り行われた。妻と早起きし、小田急江ノ島線の鶴間駅に降り立つ。冷たい雨がそぼ降る中、郊外の味気ない大通りを歩いていくと、ホールの前に母が立ってくれていた。私たち家族と、叔父一家、そして祖父の小規模な家族葬。パーテーションで仕切られ、告別式用に設えられた部屋に、おばあちゃんの遺体は横たわっていた。

形式的な手順を踏んで、出張のお坊さんがお経をあげると、湯灌の段になる。係の人に続き、一人ひとり布巾でおばあちゃんの頬を撫ぜていく。私はその間中ずっと、遺体というものが放つ無類の存在感に、ただただ圧倒されていた。

生前愛用していたしいう手製のワンピースが着付けられ、化粧が整えられる。そこから納棺の儀だ。男手で体を持ち上げると、重いようでもあり、軽いようでもある。魂が抜けて容れ物となった身体の、その名状し難い質量。

すっぽりと納まった棺桶の中に、花束、そして彼女にまつわる色々なものが入れられていく。祖父との海外旅行の写真、グラウンドゴルフのクラブ、私たちがその日に綴った寄せ書きの色紙。そして最後に、おばあちゃんの描いた油絵が胸元に据えられた。一〇号ぐらいのカンヴァス。一瞬、作品を燃やしてしまうことに躊躇したが、「おばあちゃんは油絵が好きだったから」と言う、祖父のたっての希望だった。キャプションも付いていて、タイトルは《乱舞》。真ん中に不死鳥が堂々と翼を広げ、その羽先から絵具が迸り、画面の端に進むにしたがって抽象的な色彩が渦巻いている。なんと力強い絵だろう、か細い彼女が描き上げたとは思えないくらい。

棺桶の小窓から、口々に別れの言葉を投げかける。喪主としてこれまで気丈に振る舞っていた祖父が、おばあちゃん、今までほんとうにありがとう、感謝しているよと零すと、嗚咽が止まらなくなり、そこで私の頬にも現実感のないまま涙が流れた。

霊柩車で近くの斎場に移動する。等間隔にずらりと並んだ火葬炉の一つがうちのもので、お坊さんが再び念仏を唱えてから、おばあちゃんは炉の中に吸い込まれていった。

別室の食堂で御膳を食べ、小一時間ほど世間話をしていたら、再び火葬場に呼ばれる。ガラガラと引かれてきた台座の上には、人型にお骨が寝そべっていた。

おばあちゃんは燃えていってしまった。あの油絵と一緒に。

骨の破片を箸でつまむ。ついさっきまで生々しかった肉体が、もう乾き切った物体に還元されている。大きな骨をぽきりぽきりと折りながら骨壺に移していくと、全身の骨はあっという間に一抱えの桐箱に納まった。

私はその一連の速度を前に、ひたすら眩暈（めまい）に似た感覚を押し殺すので精一杯だった。


昔からよく、おばあちゃんは私に「大きくなったら油絵で肖像画を描いてちょうだいね」と言っていた。でも、私は油絵を描かずに、現代美術をやっていた。結局、その機会は永久に失われてしまったし、私が描いた油絵を見せてあげることもできなかった。

ちなみに、町屋にも立派な斎場がある。

先日ふと思い立って足を運んでみた。家からすぐ、ちょうど同じように雨の降る、まだ肌寒い日――町屋斎場を包んでいたのは、満開の桜だった。

そうだ、忘れてた、そんな季節だったと私は変に笑けてきて、でもすぐ泣きたいような気持ちになった。むろん、その樹の下におばあちゃんの屍体は埋まっていない。

第二号 洞穴の気怠い面々――西台アパート

細く巻いたジョイントに火を点けて一服する。

六畳余りの部屋は一面銀色だった。畳も砂壁もくまなく銀に塗られ、窓にはアルミシートが貼られている。外はもうだいぶ暖かいがここは驚くほど寒い。こちらも銀に塗装された壊れかけのエアコンから、掃除されていない埃だらけのフィルターを通して曖昧な温風が吹きつけてくる。辺りには飲みかけのペットボトルや菓子パンの食べ残し、生ビールの空き缶が散らばり、むき出しのレコードが転がっていた。壁には絶望的な絵や文言の落書き……疑問の余地なく、バカみたいな部屋だ。

ここは数名の仲間による溜まり場の一室で、アンディ・ウォーホルの「ファクトリー」などという上等なものではなく、アトリエ兼スタジオ兼住居、要するにヤサだった。屋号は「CAVE MORAY」、直訳すれば「ウツボの洞窟」だ。メンバーの一人であるイナタが付けた。イナタがかつて名乗っていた作家名「打墓丸（うつぼまる）」から取られたネーミングである。だいたい、ここは彼の親父さんの持ち家だった。一家が引っ越してからまるまる空いていた物件で、イナタがアトリエとして使用していたところに、私たちがいつの間にか住み着いていたのだ。光熱費や通信費のみ割勘し、家賃は一切支払わないで。

ケイヴ・モレイは板橋区の西台にある。最寄りは都営三田線西台駅で、東上線の東武練馬駅からも歩ける距離。すぐ北を流れる荒川を越えれば埼玉県の戸田になる。東京の北東に位置する、特筆すべきものは何もない住宅街だ。そうした典型的な郊外都市の隅っこに、この三階建の一軒家はずんぐりと鎮座している。

一階のガレージが主に制作をするアトリエだ。イナタの親父さんが経営していた会社の名残りで、たくさんの重機や工具が積まれているが、かなり広々としており、ペンキだろうとラッカーだろうと気にせず使用できる。二階が風呂やトイレ、キッチンを備えた居住スペースになっていて、三階はつくり散らした過去作や展示機材の倉庫。屋上もあるにはあるが、モノが溢れた廊下と階段をすり抜けて辿り着くのが億劫で、滅多に登らなかった。

そんな鈍色（にびいろ）の洞穴（どうけつ）の中で私たちは生活していた。完全なる男所帯で、蜚蠊（コックローチ）のように這い回りながら。

＊

さっそく弛緩してきた頭を振って、ぼんやり辺りを見回すと、モレイの面々による痕跡があちこちに残されていた。

壁にはイナタの小品が掛かっている。早稲田大学の建築学科を中退した彼と、私は美学校で出会った。時に幾何学的な構造物をつくり、時に白塗りで舞踏をし、そして何よりハードコアな抽象画を描く彼を、私はリスペクトしていた。

「俺は〝限界フェチ〟なんだ」

そうイナタは自称していた。なるほど、彼はいつも「限界」まで自分のリズムで生きていた。積み上がるゴミを放ったらかしだったし、ライフラインの料金をギリギリまで振り込まなかったし、生活費が底をつくまで労働をしなかった。換言すれば、日々を無為に過ごすことに賭けていたのだ。

いつだったか「徒歩で行けるところまで行く」と言って、手ぶらでモレイを出ていったことがある。半年近く戻ってこないかもしれないということで、出発の前夜、盛大に飲み明かし送り出したが、一週間ほどしてあっけなく帰ってきた。曰く、国道のバイパス沿いをひたすら歩いて北上し、夜は漫画喫茶に泊まったり、神社の軒先で野宿したりしていたが、すぐに金も尽き、どうにか秩父まで到達したところで、峠を越える気にならず、数日間滞在して引き返してきたそうだ。

「旅はどうだった?」と聞くと、「秩父まで全く景色が変わらなかった」と言う。延々と続くロードサイドの風景もまた、一種の「限界」だったのだろう。

壁面に掛かる平面は、絵画と呼ぶにはあまりにも重厚なマチエールの塊だ。靄がかかった山脈の鳥瞰図のような、あるいは極微の細胞のような、さながら『パワーズ・オブ・テン』の世界。イナタの作品はいつも、例外なくドープだった。

襖の外れた押入れは、DIYで拵えた貧相なレコーディングブースだ。

黒く塗られた内壁には防音材が貼りつけられ、抜けそうな床板の上にマイクスタンドが突っ立っている。私とモルフォビアは、この窮屈な押入れの中、安物のポップガードに向かってバースを蹴ってきた。

ビートメイカーのモルフォビアは、一八歳の頃、当時私が住んでいたシェアハウス

〝渋家(シブハウス)〟に転がり込んできた。埼玉県の草加出身で、父親は夭折しており母子家庭。事情があって家出をし、ネットカフェ難民をしていた際に、たまたま見かけたネット放送がきっかけで渋家にアポを取る。生い立ちやバックグラウンドはだいぶ異なるが、ヒップホップとクワガタが好きだという共通点を見出し、すぐに意気投合した。

モルフォビアは中学生の時分からブレイクダンスを続けてきた、リアルなＢ－Ｂｏｙである。出会った当初、彼は蒲田にある専門学校のダンス科に通っていた。しかし、やがて学費を払えなくなり中退。それでもストリートでダンスを続けていたが、怪我でいったん踊れなくなったことを機に、トラックをつくり始める。そのタイミングで私もラップを書きだし、ユニットを組んだ。

モルフォビアが生成するのは、九〇年代(ナインティーズ)を彷彿とさせる、渋くグルーヴィーなビートである。愛機ＳＰ５０５を用い、フィジカルなレコードやＣＤからフレーズをサンプリングしループさせる。端的にローファイと言っていいだろう。

モレイで共同生活をするようになってから一年ほどかけて、私たちはなんとかアルバムを一枚仕上げた。

吸いさしのジョイントに再び火を点ける。肺いっぱいに停留させてから、ゆっくり紫煙を吐き出すと、香ばしい匂いがたちまち部屋中に広がった。網膜で銀色がチカチカと瞬いている。

スピーカーの上で中指を立てる黄色いハンドマネキンは、ヤンマーが置いた代物だ。道産子のヤンマーとも、渋家を通じて知り合った。長く伸ばしたヒゲ、束ねた長髪にバケットハットというヒッピーめいた風貌であり、実際ほとんどヒッピーだった。人たらしだった彼は、アーティストやミュージシャン、モデルなんかと独自のコネクションを形成し、とにかく東京を遊び倒していた。モレイでも、DJを集めたクローズドなパーティを企画したり、自分の部屋を茶室に見立てたお茶会を開いたりしていた。そして日夜「トリップノート」なるものを描き継いでは、何冊ものZINEに綴じていたのだった。

一時期、彼は「西台ゴ」なる自作のテーブルゲームを、イナタとよくプレイしていた。用意するのは、マグリットの画集（それはマグリットの画集でなければならないらしかった）と麻雀牌。細かいルール説明は割愛するが、机の中央部に目隠しとして画集を立て、自陣に好きなように牌を並べてから、ババである「西（シャー）」をいかに引かせるか、または引かないかを競うギャンブルである。ヤンマーによれば、「牌をどう並べるかという建築的な造形力と、『西（ババ）』を見極め、悟られないようにする心理的な洞察力が問われる、やればやるほど奥深いゲーム」とのことだったが、果たしてこれ以上に無駄な時間の潰し方があるだろうか？

私も含めたこの四人が、ケイヴ・モレイの主な住人だった。私たちはのべつ酩酊しては、気怠（けだる）い日々を過ごしていたのだ。

*

ジョイントを根元まで吸い切り、ローチを始末してから、不織布マスクをつけてモレイを出る。目下、東京はＣＯＶＩＤ－19による、初めての緊急事態宣言の只中だった。うららかな早春の真昼間だが、人影はまばらで、その人たちも皆一様にマスクをしている。大東文化大学のキャンパスにも、区立中学校の校庭にも、学生の姿は見当たらない。高架下を伝い、ジャンクションの立体歩道橋を渡って、とりあえず駅の方へと向かう。

……セブン－イレブン、デニーズ、ピザハット、モスバーガー、ガソリンスタンド、キャンドゥ、ニッポンレンタカー、右手に連なる新蓮根団地。回転寿司、紳士服のアオキ、居酒屋チェーン、レンタルビデオ屋、カラオケ、パチンコ、マンションと一体化した小さな商業プラザ、その中の消費者金融、そして西館と東館が中空の渡り廊下でつながれた巨大なダイエー……

コロナ禍における都市の変容を捕まえようとする時、西台ほどそれに向いていない街もないかもしれなかった。なぜならこの街には、人が生きていく上で必要最低限のものしか存在しないからだ。もとより都市の祝祭性は皆無で、ただのっぺりとした灰色の日常が全体を覆っている。むろん、自粛要請を受けて休業している業種や店舗はあるだろう。だがその表層において、市街の風景は以前と何も変わらないように見える。

モレイから駅の西口へ至る通りには、まだ思い出深い場所がいくつかあった。

富士山のペンキ絵が描かれた、昔ながらの銭湯「功泉湯」へは、制作でドロドロになった身体を流しに行く。モレイの風呂はまるで掃除をしていなかったし、絵具がそこら中にこびりついていたので、私たちはすがるようにその暖簾をくぐった。ゆっくりと湯船に浸かってから、待合室の缶ビールでくつろぐ。土地柄だろう、暮合には立派な刺青を背負ったじいさんに出くわすことがあって、そうするとちょっと得した気分になった。

交差点の一角、マンションの一階部にある欧風カレー屋「ラ・ファミーユ」は、店内に入ると空気が一変する。アンティーク調の家具で統一された内装に、窓や天井がゆるやかにカーブを描き、クラシックが流れる空間。童話に出てくるお屋敷の執事のように腰の曲がったお婆さんが、なみなみとルーを湛えたグレイビーボートを運んできてくれる。ルーはビーフ、ポーク、チキンからシーフードまで選べて、味も抜群だった。

その交差点を折れて少し行った路面に構えるのは、町中華の「キッチン西田」。小上がりの座敷があって、奥に据えられたテレビには、必ずと言っていいほど野球中継が映っている。ラーメンもチャーハンも美味いが、アジフライ定食が堪らない。よく連れ立って、遅いブランチを食べに行ったものだ。

とはいえ西台で圧倒的な存在感を放っていたのは、何と言ってもチェーン店だ。

大概べろべろに酔っ払って、私たちは深夜のローソンへと買い出しに向かう。決まってレジにいたのは店長のツッチーで、会計時、彼と他愛ない二言三言を交わすのが一種の通例になっていた。ツッチーは娘が美大卒らしく、それゆえかどうかわからないが、定職に就かず作品めいたものをつくってぶらぶらしている私たちに、ささやかな理解を示してくれていたのだ。

ツッチーの気分が乗っている時は、キャンペーンのくじを当たりが出るまで引かせてくれる。モルフォビアはこれを「無限スピードくじ」と命名し、重宝していた。

「僕は家ではもっぱら焼酎なんですよ」

と、シーズンが過ぎて店頭に並べられなくなったビールや、個人的に余らせているという貰い物の日本酒を、気前よく譲ってくれることもある。むろん、淡々とレジ業務を済ませるだけの日もあったが、それらを私たちは「ツッチーチャンス」と総称し、今夜はチャンスがあるかないか、要するに無料でアルコールにありつけるかどうか、ベットするような想いで出向いた。既に充分いい歳をしていた私たちは、全くと言っていいほど金がなかったのだ。

そんな風だから、皆なるべく自炊を心がける。飯の当番などは決まっていなかったが、各々が気まぐれで料理を振る舞うことが多かった。凝り性のヤンマーは手の込んだ煮魚をつくったり、イナタは「男であれば食材を切って焼くことはできる」と宣（のたま）って、野菜を炒めたりする。モルフォビアは味噌汁などをこまめに仕込んでいたが、たまに外食しては、そのぶん出ていった金額を惜しんでいた。

私はと言えば、あらかた「B・i・g・A」で食料を買い出す。モレイの最寄りで二四時間営業のスーパーだ。やたらガラガラとうるさいカートを押して、一袋一七円のもやしと一丁一六円の豆腐をカゴに放り込む。あとはネギかキャベツがあればなんとかなった。少し懐に余裕があれば、マグロの刺身や鶏肉、しめサバ、ホルモンなどを買う。ビニール袋はくれないのだが、自前の手提げを持参するような甲斐性はもちろんなかったから、積まれた廃棄用ダンボールに食材を詰め、両手で抱えて帰った。

そうやって調達した食材で、エサみたいな料理をでっち上げる。出汁も取らずに煮立てた湯豆腐や、市販のパックを使ったもやし入り麻婆豆腐、米にキムチやツナ缶、生卵をぶっかけた名もなき丼。「生き延びメシ」と括ったそれらを肴に、毎晩だいたい焼酎ハイボール、酔いたい時は安い日本酒をやる。生活力は皆無に等しかったが、ガスコンロと洗濯機とベッドがあればなんとかなると考えていたし、現になんとか生き延びていた。

駅近くのブックオフでは、モルフォビアが一〇〇円CDのコーナーで、ビートのネタをしょっちゅうディグっていた。騒々しいモレイを離れて一人になりたい時は、そのすぐ側のサイゼリヤに寄る。正確に言えば、ネオンサインの「ya」が消えていたから、そこは「Saizeri（サイゼリ）」だった。反復されるイタリア歌謡曲を浴びながら、ミラノ風ドリアかペペロンチーノに、これでもかと粉チーズとオリーブオイルをかけて食欲を誤魔化し、グラスワイン一杯で粘る。そのサイゼリも、ついこの間スギ薬局に変わってしまった。

殊に駅の高架下は入れ替わりが激しい。ちょっと前まで小さな書店があったが、今はその場所に新しいコンビニがオープン直前のままで、時間が静止したみたいに佇んでいる。唯一「夢宿」と書かれたネオン看板が出ている、仮設住宅じみたカラオケスナックだけは残存していた。この状況でも営業しているかどうかは、ちょっと見ただけではわからない。

総じて西台は、決して味わうような街ではなかった。だが、かと言って全く味わえないというわけでもない。無機質で、無味乾燥としていて、寂寞（せきばく）たる西台を、私たちはそれでもなお噛（しが）んでいたし、噛んだ際に滲み出る灰汁（アク）のようなものを、愛してさえいたのかもしれなかった。

駅舎の上向こうには巨きな団地が峙っている。都営西台アパート……一度、夜中に皆で散歩したことがあった。その時はいろんな面子が一緒だったはずだが、例によってしたたかに酔っていたから、誰がいたのかはっきりとは覚えていない。

*

住人以外にも、モレイには様々な連中が出入りしていた。

しばらく住んでいた奴にブルーノがいる。ブラジルで日本人の母親のもと育ったブルーノは、当時まだ一〇代だったが、ＤＪと曲作りの才能で早くも頭角を現していて、ＳＮＳでもちょっとした人気者だった。最終学歴は小卒でも、日本語、英語、ポルトガル語を操るトリリンガル。銀の壁にポルトガル語で「pussy」を意味する単語や、「ＬＳＤ」、そして下手くそなカタカナで「バカキッズ」などと書き殴ったのは彼だった。

ブルーノはいつも、紫に染めた長髪をうるさそうに搔き上げながら、バッドとハイを不安的に行き来していた。もちろん金はなかったから、すぐ誰かにたかって一服しては、とろりとした目で「チルだねぇ」と言うのが口癖。半年ほど共同生活を送ったが、一回り以上年齢の違う私たちとうまく折り合いのつかないところもあり、いつの間にか出て行ってしまった。

死体写真家の釣崎清隆さんも、一時的な避難所のようにして、モレイに滞在していたことがある。共通の知り合いであるキュレーターを通じ、退去しなければならなくなったという自宅から、家具やビデオ、レコードなどの私物を大量に運んできた。私たちは搬入を手伝いながら、夢中になってそれらを漁ったが、釣崎さん自身の映像作品や著作の在庫に混じって、怪しげなパケットや謎の小瓶がぎっしり詰まった、異様に重たい事務机を前にした時、皆で目を合わせ、何事かを了解し、無言のまま引き出しをそっと閉めた。

深夜、コンバットブーツが階段で鳴らす軍靴の音が聞こえてくると、釣崎さんの帰宅を知る。往々にして、彼はそのままあてがわれたねぐらに潜り込んでいったが、たまに一緒に酒を飲んでくれることもあった。背が高く、図体の大きい坊主頭で、とにかく人を寄せ付けない強面。だが、間違いなくアンダーグラウンド・カルチャーのスターの一人だったし、昔から愛読していた雑誌『BURST』などで仕事を知っていたこともあり、私たちは「釣兄（つりニイ）」と呼んで慕っていた。飲みだすと明るい人ではあったものの、かなり強硬な右派思想の持ち主ゆえ、政治的な話題で場が緊張することが間々ある。しかし、そうしたことも含め、「メキシコ死体合宿」の体験談や、フィリピンで墓場を無断占拠(スクワット)しているギャングの話など、語ってくれる全てのエピソードは、極めて刺激的だった。

他にもよく遊びに来たのは、あだ名を列挙してしまえば、番長、ＤＥＭＩくん、ユルサンビーツ、ジヤさん、ハングルマスター・フラッシュ等々……皆どこか一様に社会不適合性を抱えた、しかし愉快な人間どもが入り浸り、下らない夜を幾晩も過ごした。

美大生だったタロウは、絶えず何かに苛立ち焦っていて、どんよりと淀(よど)んでいた。全てに投げやりなところがあり、モレイに来てはしばしば正体をなくす。

彼が前腕内側にタトゥーを彫ってきた日がある。図柄は十字架だ。なにせ初めてのタトゥーである、それなりの思い入れがあるのだろう。

「あれ、タロウってクリスチャンだったたっけ？」

「違いますよ。なんでですか？」

「なんでって、それ」

「ああ、これですか？　これは好きなＴシャツの柄です」

「好きなTシャツの」

「はい。柄です」

「え、それなら着ればいいじゃない、その、Tシャツを」

「着るの面倒じゃないですか。タトゥーを刺れれば着なくてもいい」

「いや、そうか、そうだよな……。随分カジュアルなんだね」

「別に適当ですよ。こんなのなんでもないですよ」

そう吐き捨てると、タロウはさもつまらなそうにうつむいた。

そんな調子で、上腕、両腕と、会う度タトゥーは増えていった。そのうち最初に彫った十字架が気に入らなくなったらしく、そこに新しい図柄を上書きして「これで消えました」とあっけらかんとしている。やがて日本を見限ったのか、大学を卒業するとベルリンに渡っていってしまった。

こうしたつながりを「コミュニティ」と呼べるのかはわからない。まして「コレクティヴ」なんていう言葉で言い表すことはできないだろう。なんと言うか、それは共犯者のような関係だった。

私たちは夜な夜な狂騒に明け暮れる。アスベストが降り積もるガレージでの共演。イナタは絵具の粉末を調合し石粉粘土を捏ねる。モルフォビアがビートを打って、ヤンマーが壁面に「420」とボミングする。私はたいてい次の作品に向けたメディウムを弄っていた。夜毎にゲストが立ち替われば、滞留する空気と共に空間も変容する。それらの様相を、「面構えが流石にヤバいのではないか」という気づきによって、重機の上の小高いところへ〈祀る〉ことにした『Paid In Full』のレコードジャケットの中から、エリックB&ラキムが睥睨している。

スピーカー代わりのボロボロのマーシャルのアンプからは、常に爆音でヒップホップを流していた。ただ、近隣住民から苦情を受けたことはない。モレイの真ん前を通る首都高速道路が、昼夜を問わず騒音を放っていたからだ。音も声も、路上に漏れることなく掻き消される。さらに首都高を四六時中走るトラックによって、モレイは常にカタカタと微振動していた。私たちもまた、微振動しながら生きていたのだった。

私たちは世間の目を逃れるように引き籠っていた。ウツボの如く穴蔵に籠城していた。そしてアルタミラの原始人みたく各々の絵を描いた。そんな制作と生活の総体を支えるケイヴ・モレイが、イナタの言葉で言えば「ILL なアーキテクチャ」だと信じて疑わなかった。

今思い返せばどうしようもない日々だったが、しかし、そこには確かに自由の手触りがあったように思える。

そうして夜通し呻(うめ)いては、昼過ぎまで眠りにつくのだった。

*

都営西台アパートへの入口は、西台駅高架下の奥にある。

錆び付いた階段を登って駅舎を過ぎると、広々とした敷地に居並ぶ高層の団地群が眼前に現れる。驚くべきことに、西台アパートは線路の上につくられた〝天空の団地〟なのだ。

どういうことかと言えば、まず地上には、三田線の車両基地がぞろりと列をなしている。その上に、分厚いコンクリートの人工地盤を造成。そうしてできた大地に、数多の団地が根をおろす——つまり、下部構造の車庫、上部構造の団地空間が一体化した、一つの巨大な建造物なのである。

そんな天上の敷地内に生活圏が形成されている。ツインコリダー型で四棟並ぶ、一四階建の高層団地。建物間のスペースには、数多く設置された彫刻のように大きなプランターから、草木が繁茂している。無意味に階段を登らせる公衆便所、だだっ広い駐輪場、グラフィティ未満のボム。区立保育園は見られるが、かつて小学校があった場所は、今駐車場になっているらしい。団地の麓には、個人経営の小さな商店が一軒、ぽつんと残されていた。

人通りはまるでない。たまにマスクをした老人が手押し車を押している程度で、子供や若者の姿はほとんど見られなかった。

ここは、すぐ隣駅の高島平団地と緑道でつながっている。昭和四七年に入居が開始された高島平団地は、「東洋一のマンモス団地」と呼ばれたそうだ。西台アパートもまた、ほぼ同時期に建設されている。先述した新蓮根団地も含め、この一帯は団地と共に開発されたエリアなのだ。

当時、団地は新しい生活空間であり、庶民の憧れの的だったはずである。郊外におけるアメリカ型のライフスタイル。それは同時に、日本人の生活様式が個人化する契機でもあったろう。そうした密室の孕む意味が、現在の状況で問い直される。もともと団地は籠るためにこそあった。ここの住人たちも、等間隔に配されたあの窓々の中に、やはり閉じ籠っているのだろうか——。

少なくとも、この〈天空〉の地は物理的に〈下界〉から隔絶されている。そしておそらく社会からも、時代からも、あるいはウイルスからも？

ユートピアとディストピアは容易に反転し得るが、いずれにせよ、ここでは全てがくすんで見える。


ケイヴ・モレイの面々で、西台アパートに潜り込んだ夜を思い出す。

エントランスに設置された、ドナルド・ジャッドのミニマルなオブジェのような無数のポストをすり抜け、旧式のエレベーターで最上階へ。通路に出ると、廊下がずらりと放射線状に伸びる。かつて夢見られた未来のイメージのように、どこを切り取ってもあらゆるスケールに幾何学模様が展開されている。

中央部はポッカリと空いて、吹き抜けになっていた。下を覗き込むと、底の方は闇に包まれて、さながら深淵だ。ふと、高島平団地は飛び降り自殺のメッカだという事実が頭をよぎる。大友克洋の漫画『童夢』のモデルとなったのは、埼玉県川口市の芝園団地だったが、ここも充分に不気味さを湛えている。「これは飛び降りたくなるな」とヤンマーがぽそりと呟いた。
屋上への扉はロックされ、隙間に鉄条網が張り巡らされて這入れなかった。私たちは階段の踊り場に座り込んで、ひとまずジョイントを回す。

――検車庫の先にも団地が見える。こちら側の建物は五、六、七、八号棟で、解体された四号棟を除き、一、二、三号棟は向こう側にあるのだった。あっちは東京交通局志村寮、つまり職員住宅だ。地面から生える何本もの柱の上に団地が乗っかって、敷かれた線路を跨ぐように建っている。天空の密室。地上から遊離した孤島。ここもまた洞窟だ。出口はどこにあるのだろう？　畢竟、自分たちがどこにいるかもわからない。……

長くボリュームのあるスロープを降りて、都営西台アパートを後にする。モレイと逆方向に歩を進め、他愛ない住宅街を少し行くと、視界が一気に開けた。新河岸川だ。対岸には製鉄工場のトタン屋根が低く連なっている。遠くのガスタンクが気球のように丸い。給水塔がまっすぐ空に突き刺さる。
頬を撫でる風がすこぶる心地いい。川は穏やかに流れていた。

＊

モレイに戻ると、相変わらず部屋は散らかったままだった。私以外出入りしていないのだから、当然か。

住人たちはとうに四散してしまった。イナタは数年前から沖縄に移住し、現地で結婚して、赤ん坊も生まれている。ヤンマーは北海道に帰ってから、どこか山奥の旅館で働いているという噂を聞いた。モルフォビアは中目黒に居を移し、たまに都合をつけては、今もここで一緒に曲をつくっている。

腰を下ろしたところで、ずっとマスクをしていることにようやく思い至り、苦笑しながらマスクを外した。テーブルには吸殻で山盛りになった灰皿と、虫食い状にちぎられた展覧会DM。安いプラスチック製のグラインダーを回し、DMをフィルター代わりに丸め、ペーパーの端を舐める——今度は、さっきより心持ち太く巻いて。

先端の紙縒（こより）を丁寧に炙って、思い切り煙を吸い込んだ。

指先に触れたヴァイナルを手に取る。沖縄のラッパー、MAVELのドーナツ盤。ジャケットはイナタのアートワークだ。その目玉のような図像に吸い込まれそうになりながら、朦朧としつつある意識でレコードプレーヤーに針を落とすと、部屋の四隅に設えられたスピーカーからビートが流れ出す。

——どれくらい経ったのだろう、気づくと私は一人で踊っていた。

街は死んでいる。私も死んでいるのかもしれない。今はただ踊り続けることしかできなかった。死人のカンカン踊り。らくだのように。この深い洞穴に籠って。

第三号

谷の底の悪所——MIYASHITA PARK

新国立競技場の前で、私はシャトルランをしていた。

東京五輪の開会式が行われるはずだった日の夕刻、競技場を背景に、走っては引き返し、また走っては引き返す。辺りには無機質なドレミの音階が響いている。オクターヴが一セット鳴り終わるまでに、とにかく二〇メートル間を走り抜けなければならない。徐々にBPMが上がっていくのに伴って、鼓動も早まり、呼吸は荒くなる。息苦しい、マスクをつけたまま走るのは自殺行為だ。勢いよくマスクを振り払うと、向かいの舗道に溜まるギャラリーの笑い声が聞こえた。競技場の向こうからは、オリンピック反対を掲げているらしいデモ隊の怒声が微かに聞こえてくる。

競技場の周囲はぐるりとフェンスに囲まれて、敷地内に立ち入ることは禁じられていた。さらにその周辺を、テロやデモへの警戒だろう、たくさんの警察車両が取り巻いている。既に競技場は落成していたが、しかし未だスタジアムとして機能しておらず、建築というよりもむしろ、巨きな楕円形の物体として空間を占拠している。神宮の杜にできた最新の墳墓——それはあたかも、祝祭の後に廃墟化する〈未来のレガシー〉を先取しているかのようだ。そんな予見性を胚胎したオリンピックの聖地に、規則的な機械音が虚しく木霊(こだま)している。

ここでシャトルランをするのは三度目だった。最初は赤いクレーンが群居する、普請中の二〇一七年。二度目は、ひとまず建物が完成した二〇一九年。それらは映像作品として公開したが、今回は観客を迎えたパフォーマンスとして実践している。もちろん、シャトルランはオリンピック種目ではなく、小中学校で実施される単なる持久力測定テストである。

私は子供の頃からシャトルランが苦手だった。同じところを行ったり来たりするだけで、どこにも辿り着けず、風景は変化しない。加速度的に早まる音が焦燥感を掻き立てるばかりで、走者はただただ疲弊し、やがて体力の限界と共に、一人また一人と脱落していく——もしかすると、それはオリンピックへと邁進する、東京ないし日本のアナロジーではないかと思えた。どこへも前進することなく右往左往し、心身を摩耗する徒労感ばかり溜め込んで、やがてばったりと倒れ込むシャトルランナーとしての現代日本……そうしたコンセプトで始めたアクションだったが、まさか二〇二〇年八月、オリンピック自体が延期される運びになるとは思いもよらなかった。ほんとうにどこにも行けず、なんの景色も見ることができなくなるなんて。レーンを降りることすら許されない。息もたえだえに持久走は来年まで継続される。

Bluetoothスピーカーから鳴る、教育委員会的な声音（こわね）の女性によるアナウンスで、カウントはゆうに七〇回を超えていると気づいた。もうとっくに困憊し、気力だけでみっともなく身体を動かしている状態だ。ふだん全く運動をしないのだから当たり前だろう。サングラスをこれ見よがしに投げ捨てる。見物客から声援が飛ぶものの、八〇回を過ぎたあたりで合図音についていくことができなくなり、憔悴しきって歩道の真ん中に倒れ込んだ。

と、リレーのバトンを円滑に受け取るように、すぐ秋山佑太が動き出す。そう、これは三名の作家によるイベントなのだ。外苑前にあるヴィンテージビルの一室、FL田SH（フレッシュ）というアートスペースで開催中の展覧会と連動している。以前から東京五輪の開催時期に被せて企画を練り、かつて正式に採用されていたオリンピック種目「芸術競技」を援用して、三者三様の身体性を競い合うことにしていた。もちろん、近代五輪に対する拭い切れない不信に貫かれた、アイロニカルな営為として。

しかし、世界的なパンデミックによって、オリンピックの方が地滑りを起こし、流れ去ってしまった。日々変化する状況に振り回されながら、それでも手探りで開くことにした展覧会の最終日、わざわざ移植された「スポーツの日」に、言うまでもなく非公式で開催しているのが、この「オープニングセレモニー」だ。「オープニング」というタイトルの逆説は、展示最終日であることと、FL田SHの入るビルそのものが、オリンピックを機とする再開発によって、本展を最後に解体されることに拠っていた。そうしたコンテクストの末に敢行したセレモニーは、自粛ムードの中でなかなかの観客を集め、特別な許可も取らず、しかし〈公道〉における権利の当然の行使として、競技場外周の路上に皆でたむろしている。

アーティストで建築家でもある秋山さんは、おもむろに背後の街路樹に登り始めた。何やら白い小さな物質を木の幹や枝に貼り付けたり、根元の植え込みに撒いたりしている。そうした儀式的な振る舞いを一通り終えると、今度は道路を渡って競技場の真ん前に胡座をかいた。ジップロックから灰色の粉末を取り出し、ペットボトルの水と共に口に含んで咀嚼する——口内でコンクリートを捏ねているのだ。

一連の行為は出品作に対応していた。展示では、口腔で生成されたコンクリ塊を、数台の3Dプリンタで出力し量産。街路樹に散種していたのは、このバイオプラスチックからなるオブジェだった。また空間中央に、腐葉土の詰まったコンテナボックスを重ねて配置し、壁面には強烈な匂いを発するぬか床や、そこで発酵させた野菜の漬物などが、ある種の彫刻としてインストールされている。土からは雑草が生い茂り、ミミズや芋虫がもぞもぞと動く。こうした作品群は、コロナ禍に秩父へ遁世したという彼が、建築家あるいは現場作業員として、自然環境と直に接触しながら生きていくことの表明だった。また、それは都市における〈生産 - 消費〉のサイクルとは別種の、ヴァナキュラーな〈循環〉に身を委ねる宣誓でもあったろう。その決意のようなものは、先述の口内でのコンクリート生成が記録されたディスプレイに映し出される、憤怒とも悲哀とも取れる、涙ぐんだ瞳に宿っているように思えた。

捏ね上げたコンクリートを路上にべチャッと吐き出して立ち上がる。行方を見守っていた観客の喝采と共に、こうして秋山さんらしい重厚なパフォーマンスが終了すると、リレーのバトンはアンカーへと渡る。すぐに背後からぬっとトモトシが現れた。

「TOKYO 2020」のTシャツ姿のトモトシくんは、引いているリヤカーの荷台から、まるまるとした生魚を一尾取り上げる。そして魚体を自身の腹の辺りで抱えると、人形使いの黒子のようにして、ストリートをゆらゆらと泳がせ始めた。サバだろうか、あたかも潮の流れのままに舗道を遊泳する青魚は、徐々に競技場の仮設壁に近づいていく。すると突如、魚は踊るように身を翻(ひるがえ)し、ぱしゃぱしゃっとその壁の向こうに飛び込んでいってしまった。

観衆から「きゃっ」とも「ひゃっ」ともつかぬ悲鳴が漏れ、集団はある異様な興奮にじんわりと包まれた。トモトシくんは何食わぬ顔で平然とリヤカーに戻っていく。次に取り出したのは立派なタイだ。観客を引き連れて再び競技場沿いを揺蕩(たゆた)い、道路の中洲にあるオレンジ色のラバーポールを、水草を食むようについばむ。そうした優雅な時の過ぎゆくままフェンスに近づくと、タイはまたぱしゃりと跳ねて、向こう側に消えていってしまった。

私たちが目撃しているのは、紛れもない〈規範の侵犯〉だ。身一つで都市に介入することを信条とするアーティストである彼は、人々がふだん自明視している境界線を軽やかに越えていく。今回、魚を媒介として決行されているのは、幻と化した二〇二〇年のオリンピックに対する、トモトシならではの孤独なテロリズムだった。

最後に登場したのはヒラメだ。路面と平行に、低いところをひらひらと這うように泳いでいく。競技場の楕円の角を曲がり外苑西通りに出ると、私服も含めた警官が増えてきた。さっきから、明らかに私たちの観客ではない人間がずっとカメラを回している。おそらく公安だろう、ディレクターの吉田くんが警戒しているのがわかった。トンネルの先からはシュプレヒコールが地鳴りのように轟いてくる。そんな物々しい雰囲気の中、ヒラメは熱源の方向へと潮の流れに身を任せる。日は暮れかかっていた。日没と歩みを合わせるように喧騒へと吸い込まれていくトモトシの背中が、徐々に小さくなる。やがて人混みに紛れて見えなくなったかと思うと、すぐ引き返してきた。彼の手にはもう何もない。ヒラメもまた壁の向こうに潜り込んで、既に競技場の陰で身体を休めているに違いなかった。

こうして「オープニング・セレモニー」は終幕した。私たちは来た道を戻っていく。泳ぐように、一群れの魚影になって。

＊

新しくなった銀座線渋谷駅のホームは、天井に湾曲したアーチが連なって、まるでクジラの腹の中だ。呑み込まれた小魚の気分になる。左右の改札口どちらを出ても、商業施設に直結するつくり。咽喉か肛門か――どっちもどっちだと出口を抜け、渋谷スクランブルスクエアへ。流れるような動線上で、目に入るもの全てが商品だと言っていい。ここは大海原というより流れるプールだ。ブティックやカフェに囲繞(いじょう)された水路を縫って、ようやく陸地に身を投げ出す。

東口はことごとく工事中だが、駅周辺に跨がる歩行者デッキはある程度完成しているようだった。広々とした立体的な歩道が、スクランブルスクエア、ストリーム、そして警察署へと延びている。この通路は着々と整備されつつあり、九つの再開発プロジェクトは既にいくつも開業を迎えていた。計画的に配された施設間は滑らかにつながっている。もちろん、そこから零れ落ちるものをノイズ・キャンセリングするようにして。

アミダクジみたいなファサードを有する渋谷ストリームの最上部には、「Google」のロゴが掲げられていた。世界最大の検索エンジンに見下ろされているのだから、もはやこの街に〈外部〉は存在しないのだろう。デッキからスムーズに接続されたエスカレーターを伝って、チェーンの飲食店や雑貨屋を抜ける。大階段を降りた広場は「水辺空間」と謳われていた。わざわざ地面に丸く縁取られた「ビュースポット」が明示され、そのサークルの内側に立つと、ちょうど電飾に覆われた渋谷川の全容が眺められる。ほとんど暗渠化し、雑居ビルを背にちょろちょろと護岸を流れる渋谷川の無骨さが、過剰に飾り立てられたその「再生」によって、むしろ酷薄なほど浮き彫りになっているように思えてならないのは私だけだろうか。

西口へは、まだ開発途上なのだろう、カマボコ屋根のなくなった旧東横線のホームをくぐって行かねばならない。その高架下の246通りは、かつて、ホームレスを追い出すために描かれた壁画を巡る議論が起きたエリアでもある。都市空間における「排除アート」問題の先駆だったように思えるそこは、現在ホームレスも壁画もなく、ただ工事中の仮囲いに塞がれていた。

そんな246に沿って左手に広がっていた桜丘町一帯は、もう跡形もなく消失している。二〇二三年の竣工を目処とした再開発によって、街そのものが更地になってしまったのだ。区画内には所狭しと特大の重機が並んでいて、ここにもむろん複合商業施設ができる。その桜丘への入口を除き、西口周辺にも件の歩行者デッキはおおかた出来上がっていた。駅方面と、東急プラザ跡地に建った渋谷フクラス、そしてセルリアンタワーの面する坂の麓が、やはりぬかりなく結ばれ、その一層上には首都高速道路が変わらず被さって、空を貫いている。

言うまでもなく、渋谷は再開発の真っ只中にある。東京における〈スクラップ・アンド・ビルド〉の中心地だ。二〇二〇年の東京オリンピックを契機として、五輪が延期されようとも、当然その開発は止まることなく進行している。

そもそも渋谷は、一九六四年の東京オリンピックに際して大きく変化した地域だ。首都高や新幹線の開通といった東京全体の開発に加えて、特に主要会場となった神宮外苑地区と駒沢公園地区、そしてその二地点を結ぶ渋谷地区は、大規模な改造が施されている。そうした国家的な事業を境に、代々木や原宿を含めた渋谷周辺のエリアは、巨大な盛り場へと飛躍的な成長を遂げたのだ。

それゆえ、二度目の東京五輪に端を発するこの再開発も、ある意味で妥当と言えよう。オリンピックは、何より都市改造の最大の方便なのだから。

高校時代、東口の歩道橋から駅の方を望むのが好きだった。

歩道橋の足元には山下書店があった。二四時間営業で重宝しており、よく軒先の雑誌コーナーで立ち読みをする。特に通い詰めていたのは、高校二、三年の頃だ。

その時分、私はとにかく勉強ができなかった。中高一貫の私立校に入学して以来、全くと言っていいほど勉強せず、ひたすら遊び倒していた私は、無為な生活の必然的な帰結として、丸腰で大学受験の準備を始めるしかなかった。ツケが回ってきただけ、自業自得である。周囲の友人たちは、一緒に遊び呆けているように見えながら、その実、陰に陽に周到な努力を積み重ねており、高二の夏の終わりには、自然と受験生へとモードを切り替えていた。しかし私は、その転身に完全に乗り遅れる。要するに、おそろしく要領が悪かったのだ。模試を受けても箸にも棒にもかからず、英語など何を聞かれているのかすら理解できない有様。なにしろその時点で、be動詞と一般動詞の区別もろくにつかなかったのである。

山手線の新南口付近にある雑居ビル、その一室に入った英語塾へ苦し紛れに通っていた。明治通りを少し行って曲がったところ。せめて英語だけは基礎から立て直さねばと思ってはいたものの、出席してもちんぷんかんぷんの授業に通うのが苦痛で、塾をサボっては近くのドトールかベローチェで時間を潰す。ただカフェの座席を温めていることにも飽きると、明治通りを引き返し、山下書店へ駆け込んでは、現実逃避のためだけに片っ端から本を手に取って貪り読んでいた。そうして塾が終わる時間まで適当に油を売り、親へのアリバイをでっち上げてから、這々の体で帰宅する。長い人生の中で大したことじゃない、と今なら笑い飛ばせるのだけど、振り返れば当時は随分ナイーヴで、受験に失敗しつつあることが苦痛で仕方なかった。

帰り道、山下書店から歩道橋を登って駅方面に目をやると、渋谷の街並みが一望できる。

街の喧騒はそのままに、所々でネオンが瞬いている。地下鉄であるはずの銀座線が、ビルの合間から地上に出てわずかに走り、またすぐビルの合間に吸い込まれていった。眼下に広がるのは、谷底の風景だ。

その名の通り、渋谷は明確な谷地である。五つの台地に挟まれた、すり鉢型の地形に位置する〈悪所〉。国木田独歩が『武蔵野』で描いたように、東京の郊外として鬱蒼たる林に覆われていたこの田舎町は、ターミナル駅の盛り場として発展し、戦火を経てなお闇市の活気をもって復興した。さらに先述した六四年の大改造、八〇年代の東急や西武といった企業戦略による広告空間化、九〇年代のストリート化やゼロ年代の再郊外化を経て、二〇二〇年現在、またぞろ街全体が蠢動している。

歩道橋の上から見渡す渋谷は、自らの矮小さとは無関係に、ただそこに横たわってい
た。それに私は何か救われるようなものを感じながら、しかし自分だけが置いてきぼり
を食ったみたいに悲しくもなって、しばし涙ぐむ。
ぼんやりと滲んだ渋谷の景色は、なぜかいつも転倒して見えた。
私の立っている、ここが谷底だ。
足早に歩道橋を降りていく。その歩道橋もなくなって、歩行者デッキに取って代わっ
た。周囲にはいくつも高層ビルが建ち、駅構内とヒカリエを結ぶ空中回廊で銀座線は隠
れている。背中の奥に広がるのはコンクリートの更地だ。山下書店は潰れ、コンビニに
なった。
こんな風に渋谷を生きてきた私にできるのは、自身のリアリティで今の渋谷を眼差す
ことだけだ。それがあくまで個人的な感傷であろうと。この街の底から。

*

渋谷には思い出が詰まりすぎていて、何から書き出せばいいのかわからない。

ただ、とかく渋谷という街の体験は、私の人生において大きな位置を占めている。一口に渋谷と言ってもエリアは広く、文化は様々で、その場所場所によって複雑なグラデーションを描いているから、渋谷の〈全体〉を記述しようというのは土台無理な話だ。そこで自身が経験した渋谷の〈断片〉を、いくつか差し出すことにしよう。

私にとっての渋谷は、まず、通学途中のターミナル駅として始まった。ニュータウンにある実家から田園都市線で一本、急行であれば二〇分ほどで到着する。中学一年から高校三年まで、都合六年間は通った。登校時こそなかったが、下校の折にはしばしば渋谷で道草を食う。思春期の最も感性が敏感な時期に渋谷という街から情操教育を受けたと言って過言ではない。

一番古い渋谷の記憶は、中一の時に「闘魂ショップ」に行った日のことだ。それまでも寄り道したり、買い物をしたりしていたはずだが、初めて明確な目的を持って出向いたからよく覚えているのだろう。当時プロレスにのめり込み、特に熱狂的なアントニオ猪木信者だった私は、グッズを買うため、家のパソコンで検索して知ったこの店を一人訪ねたのである。恵比寿へ向かう明治通り、その坂道を登った場外馬券場のすぐ側にあった。たしかＤＶＤなどは高くて手が出ずに、一〇〇〇円くらいする「闘魂」と書かれた扇子を買って帰ったはずだ。

次の記憶は中二の時、センター街を入ってすぐ左手にあるシルバーアクセサリーの店で、むろんメッキだろう、十字架のネックレスを買った。洒落た店員さんにドギマギしながら、一二〇〇円で、である。これぞ中二病だ。闘魂扇子もそうだが、中坊が気張ってできる買い物は、せいぜい一〇〇〇円前後なのだった。校則が実質的に存在しない学校で、制服もなく私服、髪の毛は金髪にしてイキがっていたから、思い返すと顔から火が出るほど恥ずかしい。この店は今も営業していて、センター街を通る度にこのことが頭をかすめる。

中三から高二までは、よく渋谷で合コンをした。男子校だから校内での出会いがない。そこで、文化祭に来た女子校の子たちをナンパし、各自が合コンをセッティングするのだ。いつもつるんでいた四、五人で、相手方にも頭数を揃えてもらい、ハチ公前で待ち合わせる。互いが互いを値踏みするように挨拶を交わしたら、だいたいはセンター街の歌広へ。カラオケの後、話が弾めば公園通りを登り、コンビニで缶チューハイなどを買い込んで代々木公園に向かう。宵闇のベンチで駄弁(ダべ)りながら、うまくすると一組ずつになったりと、そんなことばかりしていた。

ところでセンター街の歌広には、一学年上の先輩である塚本さんと斉藤さんが、先客として、ほとんど必ずと言っていいほどどこかの部屋におり、いつも違う女の子たちと遊んでいた。塚本さんはその後やさぐれて、今で言う「半グレ」みたいな集団とつるんでいたようだ。センター街を横一列になって歩いているという目撃談を風の噂で聞いた。あの混雑して道幅の狭いセンター街で横一列ということは、他の通行人は滞留し、彼らに押し流されていたのだろうか。「ダムを堰き止めるビーバーじゃないんだから」という友人の言葉で、私たちは随分笑ったものだ。

何より長い時間を過ごしたのは、やはり公園だろう。金のない若者が溜まるとなれば、いつの時代であれ公園くらいしかない。例えば代々公の入口、野外ステージのある広場の歩道橋にたむろしては、酒など飲んでいた。散々通ったのは恵比寿東公園、通称「タコ公園」で、恵比寿駅から行くこともあったが、渋谷からだと渋谷川沿いをずうっと歩けば辿り着く。シンボルである大きなタコの遊具は滑り台が入り組んで、その穴の中で他愛もないことを散々喋ったものだが、いつしか撤去されてしまった。代わりに新しく設置されたタコは、以前よりも茹で上がったように朱に染まり、手触りはぬるりとして柔らかく、しかもひとまわり小さくなっていたから、私たちは「なんでリアルなタコに近づけてしまったんだ」と残念がった。そして、何と言っても渋谷には美竹公園と宮下公園がある……が、その話は追々することにしよう。

私にとって、渋谷は巨大な本屋でもあった。

ある需要に特化した書店が、街中に散在しているイメージ。品揃えを重視したいのであれば、ブックファーストがあった。旧ドン・キホーテの向かい、現MEGAドンキの隣のビルが、まるまる書店だったのである。休憩用に設えられた椅子に座り込み、哲学や社会学の学術書などを背伸びしてめくっていた。今そのビルはH&Mが入っているが、ファスト・ファッションに取って代わられたのは、HMVの六階にあった青山ブックセンターもそうだ。調べてみると、二〇〇六年から二〇〇七年にかけて、一年も持たずに閉店したようで、その割に強く記憶に残っているから、頻繁に出向いていたのだろう。やがてそのHMV跡地にできたForever21もなくなって、現在はIKEAの開店を準備しているらしい。

美術系のカタログや写真集、海外の雑誌などを眺めたい時は、タワーレコードに行く。今はリニューアルして二階にあるが、当時のタワレコブックスは七階にあった。外界が見えるエレベーターに乗り込み、ぐんぐん小さくなる神宮通りの人混みを眺めていると、渋谷にいるという実感がなぜか湧いてくる。

受験生の頃にそこを覗くと、かなりの頻度で、立ったまま画集を濫読する野口さんがいた。高校の先輩の野口さんは、美大を目指し浪人していて、結果的に二浪で武蔵野美術大学の彫刻科に進むことになる。最後に会ったのは、国立新美術館の五美大展で卒業制作を見た時だ。手の込んだ木彫などが展示室に立ち並ぶ中、野口さんが出品していたのはシンプルなエアコンだった。

「これですか？ 野口さんの卒制」

「そうだよ。見ての通り、買って開けたままの、何の手も加えてない、完全に新品のエアコン」

「そうなんですね……周りが労作ばかりなので、結構びっくりしてます」

「ああ、卒制について考えてたら、頭の中が何十周もして、わけわからなくなってね。結局こうなったんだ……」

全てをやり切ったようにも、全てをあきらめ切ったようにも見える野口さんのその横顔を見ていたら、野暮な質問などする気は起きなくなるのだった。

先に触れた山下書店や大盛堂書店ではサブカル系の雑誌を愛読していたし、振り返ってみると、やはり私の中で渋谷と本屋は密接に結びついている。BunkamuraにMARUZEN ＆ ジュンク堂ができるのはだいぶ後だ。ドンキ前から撤退したブックファーストは、駅近くの地下二階を陣取っていたが、そこももうヴィレッジヴァンガードになって久しい。

音楽で言えば、宇田川町の名高いレコード・カルチャーというものを、私はほとんど知らない。中一の時からヒップホップが好きだったものの、感度が鈍かったと言えばそれまでだが、一〇代だったゼロ年代に家でレコードを聴く習慣はなかった。それよりも、スクランブル交差点に面するQFRONTのTSUTAYAでCDを試聴し、一週間レンタル。それを自室のコンポでMDに焼いて、通学の電車で聴いていた。丸っこいイヤホンを耳にかけ、MDの面にアルバムや曲のタイトルを手書きして、思えばなかなかアナログな時代である。

ただ、宇田川町的なるものの片鱗は、大学を卒業後、自分でラップをするようになってから、かろうじて味わっている。自身のヒップホップ・ユニットであるStag Beatで出した初EPのリリースパーティは、シスコ坂にある「喫茶SMiLE」で開催した。レコード屋「CISCO」こそ知らないが、そこがDJたちの聖地だったことは歴史として認知している。東急ハンズ先のサイゼリヤ向かい、マンハッタンレコードの手前。TABOO1の壁画を右手に登る路地がシスコ坂で、その一角に喫茶SMiLEはある。美学校時代の恩師であり、写真家・現代美術家の松蔭浩之さんに連れられて行った、小さなライブバーだ。イベントやパーティにちょくちょく顔を出し、常連とまでは言わないが、馴染みの店が宇田川町にできるのが嬉しかった。同じくシスコ坂にある「虎子食堂」には、心酔している福岡のラップグループTOJIN BATTLE ROYALが出演するイベントに参加し、酔ってサイファーしたのをよく覚えている。明け方にはシスコ坂を降りた向かいの駐車場で、モルフォビアらとだらだら酒を飲んだものだが、そこも今ではアベマタワーズになった。企業というのは一も二もなく、タワーを建てるのが好きらしい。

クラブには決して熱心に通っていたわけではない。円山町のランブリングストリートに連なる大箱へ行ったのは数えるほどで、O-nestではライブをしたことがあるが、WOMBやWWW X、あとは、後述する〝渋家（シブハウス）〟で親交のあったtomadの主宰するマルチネレコーズのパーティに足を運んだ。そんなクラブも風営法どころではなく、Asia系列の店舗に代表されるように、コロナ禍においてバタバタと潰れていっている。とんと足を運べていなかったことを恥じ入りつつも、ある文化の受け皿が消滅することに対し、憂慮を覚えずにはいられない。

音楽と共に、渋谷はファッションの街でもある。109メンズ館のギャル男系や、PARCOのハイブランドなど、多彩なジャンルやトレンドが花開いてきたのだろうが、私が好きだったのはいわゆるストリート系だ。ゼロ年代は依然として〝裏原〟が強く、ピークは過ぎていたのかもしれないが、その残滓(ざんし)は色濃かった。今みたいにネットであらゆる情報が手に入る時代じゃなかったから、『smart』みたいなファッション雑誌を買って、付録の店舗マップなどを片手に買い物に繰り出す。お決まりのルートとしては、ファイヤー通りからセレクトショップや古着屋を回って、キャットストリートへ。その入口にあった、小さな靴屋や雑貨屋が並ぶ宮下町アパートは、数年前から渋谷キャストという、これも立派な複合施設と相成っている。

キャットストリートに入るとすぐ、中高一貫の進学校である渋谷教育学園渋谷、通称

〝渋渋〟がある。そういえば高三の時、渋渋の年下の女の子と付き合っていた。だいたいデートは渋谷で、PARCO内の書店LIBROをさらったり、オルガン坂のスターバックスで一休みしたりしてから、キャットストリートでウィンドウショッピングなどをする。渋渋のすぐ側のフレッシュネスバーガーにもよく行ったし、道玄坂の「アラン・ド」で童貞も捨てた。

キャットストリートをまっすぐ行って、表参道、原宿を経由し、神宮外苑の方まで出てしまう。ラフォーレにはほとんど入ったことがない。当時はFATやHECTICが人気で、未だにBAPEの店先には行列ができていた。友人たちはXLARGEだとかSupremeだとか、それぞれに贔屓があったが、私が心酔していたのはHAZEだ。パブリック・エネミーやビースティ・ボーイズのロゴなどをデザインした、グラフィティライターのエリック・ヘイズが手掛けるブランド。ただ、店舗はかなり前になくなっている。言うまでもなく原宿一帯は新陳代謝が激しい。神宮前交差点の風景も、今ではすっかり様変わりしてしまった。

一度、買い物の途中で詐欺にあったことがある。高一の頃、山下、河野、三井という友達と四人で、代官山にいた時だ。

休日の昼間、服屋を回っていると、見るからに怪しげなオッサンに声をかけられた。ティアドロップ型のサングラスに無精髭、よれたGジャンというスタイル。最初こそ軽くあしらっていたが、そのうち「この辺の店は全て俺が関わっている」「顔が利くからどこでも割引にできる」などと、このエリアの元締め的存在であることを吹かしてきた。そう聞くとその風貌も、どこか有力者特有のカジュアルな身なりに思えてきて、私たちは徐々に心を開いてしまう。丁々発止の話術も相俟って、かなり打ち解けたという段になり、突然、

「実は、これをあそこに見えるマンションの一室に届けてほしいんだ」

と切り出してきた。男の手には、一〇〇万円、いやそれ以上だろうか？　厚みのあるパンパンの茶封筒。どうやらそこに「事務所」があるらしい。既に若干の下心が芽生えていたのと同時に、のっぴきならない事態に巻き込まれ、もはや引き返せない状況に陥ったと感じた私たちは、なぜか男の言い分をそっくり信じてしまっていた。

「これは大金の懸かった任務だから、俺も君たちを信用しないといけない。だから、保険として君たちの財布を預かるよ。それでお互い平等になる。俺はここにいるから、封

筒を届けてきてくれればもちろん財布を返すし、この辺りの好きな店の服を半額で買えることを約束する」

私たちは見事その術中に嵌り、素直に財布を差し出していた。心身共に、思えばあまりにガキだったのだ。

路マンションに向かい、インターホンで言われた部屋番号を押す。と、出た相手はそんな事務所などないと言う。顔を見合わせて、ハッと我に返った私たちがすぐに封筒の中身を確認すると、入っていたのは紙幣大にカットされた新聞紙の束だった。「やられた！」と思うや否や待機場所まで走って戻ると、むろん男の姿は影も形もなくなっている。

怒りに駆られ、ひとまずその足で渋谷警察署へ出向くと、当該の部署に回された。

「典型的な詐欺師だね。この中に犯人はいる？」

そう警官から渡されたファイルは、ずらりと詐欺師の顔写真が並んだ、おそらくこの世で最悪の部類に属するアルバムだった。しかも、その中に男の顔があったのだ。たしか男は「馬場」と名乗り、身分証のようなものも見せてきていたが、ファイルに記された名前は違っていた。警察曰く、男は以前から何度も犯行を繰り返している詐欺師で、いくつもの偽名を持っている。今回は証拠も不充分でどうにもできないから、あきらめるしかない。もし何か進展があったり、万が一捕まって財布が返ってくるようなことがあれば連絡する、とのことだった。

あれから一五年ほど経つが、もちろん今も渋谷警察署からの連絡はない。あの男はまだ、どこかで詐欺師をやっているのだろうか。

全くもってシネフィルではないが、映画はだいたい渋谷で見てきた。大学生になってからは、円山町のユーロスペースやスペイン坂のシネマライズ、あるいは代々木のアップリンクや青山のイメージフォーラムといったミニシアターへも足を延ばした。桜丘にあったシアターNでは、閉館の直前、リバイバル上映されていたロバート・アルドリッチ監督の『カリフォルニア・ドールズ』を鑑賞。アメリカの女子プロレスの世界を描いた一種のロードムービーだが、見終わった後にボロボロと涙が止まらなくて、しばらく椅子から立ち上がれなかった。洟(はな)を啜りながら降りた桜丘の坂道の景色と共に、未だ心に強く残る映画体験の一つだ。

美術に関しては、ナンヅカアンダーグラウンドやブロックハウスといったギャラリーが豊富にあるし、またBunkamuraや松濤美術館などのミュージアム、そして今日ではヒカリエやPARCOの中にもいくつものアートスペースがある。

とはいえ、渋谷におけるアートの醍醐味は、やはりストリートにあるのではないだろうか。そう、グラフィティである。あの独特にデフォルメされた文字、その様式を読む少しのリテラシーがあれば、都市を見る際のレイヤーが一つ増えることになる。決して詳しくないものの、街のそここに隠れたインベーダーのタイルや、QPによるモノトーンの家、ふるえる線で描かれたNECK FACEの悪魔、UFOの火星人、そしてBNEをはじめ、そこら中に溢れる無数のタギングやステッカーに、どうしたって視線を奪われてしまう。一階に富士そばが入った宇田川町・下田ビル周辺の駐車場か、シスコ坂上の無国籍通りがホットスポットだろうか。前者はかつてバリー・マッギーら、アレッジド・ギャラリーの面々がパフォーマンスを行ったという伝説の場所であり、自販機の裏に黎明期からのものだという ライターたちの作品が残されてもいる。後者はマスターピースが所狭しと描かれ、ゴーイングオーバーされてきた歴史の堆積が、そのまま可視化されている壁面だ。

仮に、開発によってそれらがどんどん消されていっても、ライターたちは決して悲観しないだろう。そもそもグラフィティはイリーガルであり、ある地点に刹那的に立ち現れる、永続性とは無縁の表現だからだ。たとえ都市空間からますます闇や奥ゆき、余白がなくなっていくのだとしても、新たに建築やウォールができれば、そこにまた新たにボミングしていくに相違ない。昔、あるライターと渋谷を歩いたことがあるが、ハチ公前からスクランブル交差点を通り、センター街の入口に差し掛かったところで、彼は「ここまでで俺のタギングをもう一〇個は通り過ぎたよ」と、痺れる科白（セリフ）を吐いたのだった。

ストリート・カルチャーは街の見方を変えてくれるが、例えば私はスケートボードができない。渋家（シブハウス）に住んでいた頃、友達のボードを借りて一月ほどやってみたことはあるが、絶望的に才能がないことに思い至り、すぐやめてしまった。ただ、渋谷を自分たちなりのやり方で我有してきたという変な自負はある。近年のハロウィンの狂想を例に挙げるまでもなく、渋谷には路上の遊びを誘発させる魔力のようなものが潜んでいるのだ。

最も思い出深いのは、高校生の頃、後輩たちに演（や）らせた〝市街劇〟だ。いや、市街劇などという大層なものではなく、後輩が渋谷の色々なスポットに紛れ込んで何らかのパフォーマンスを行い、それを皆で見て回るという、宴会芸の延長線上にあるような寸劇のツアーである。

スタート地点のハチ公前に着くと、さっそくハチ公に首輪をつけ、リードを持った着流しの浜本が、真顔で虚空を見つめている。そこからスクランブル交差点、また別の後輩の一人がＱＦＲＯＮＴ二階のスタバの窓際の席で頬杖をつき、切なそうに黄昏(たそがれ)ている。その様を下から眺めつつセンター街に入ると、「センター街へようこそ」と書かれた横断幕が道幅いっぱいに広がっていた。片方を持つのは石田で、もう片方を持つのはギャルだ。聞けば手書きの幕を用意し、プリクラ屋の前に溜まるギャルたちと交渉して、手伝ってもらったのだという。ＨＭＶへ入店し視聴コーナー、男同士、片耳ずつイヤホンをつけて一つの曲で小刻みに体を揺らす中川と亀野。さらにセンター街に戻って奥へ進むと、当時あったコンドマニアの店先で、店に向かって土下座をしている伊勢田が「すいませんでしたぁ！」と叫んでいる……そんな一連のツアーの間中ずっと、私たちは腹を抱えて笑っていた。

これらは極めて下らないだろうが、しかし、下らないことで笑うことが、あの頃、生きている意味のほとんど全てだったように思う。学校で学べることはごく一部で、計り知れないくらい多くのことを教えてくれたのは、いつだって渋谷だった。

目的地なく駅に降り立って、そこから何処へ向かおうと、人混みに揉まれ、渋谷を周遊することそれ自体に、どうしようもない愛おしさを抱いていたのかもしれない。

とにかく、渋谷の街をぶらぶらすることだけが、私のやるべきことだったのだ。

*

私の渋谷体験において何と言っても切り離せないのは、〝渋家(シブハウス)〟で過ごした日々だ。なぜなら、端的にそこに住んでいたからである。一九歳から二〇代半ばまで、K DUB SHINEではないが、私は断続的に「渋谷が住所」なのだった。

そもそも渋家は、御茶ノ水の駿台予備校で画家・内海信彦さんが主宰する「芸術・文化系論文」というクラスで出会った、数人の仲間たちで立ち上げたものだ。浪人時代はほとんど受験勉強に着手せず、クラスの面々で自主映画もどきを撮ってみたり、パフォーマンスのイベントを開催してみたり、幾晩もマクドナルドで青い議論をたたかわせたりしながら、漫然と過ごしていた。それは偏差値的には不毛な日々だったが、ある意味では有意義な時間だったと言えなくもない。やがて受験シーズンも終わった二〇〇八年の春、そこでの関係性を引き摺って始めたのが、渋家というシェアハウスだった。

当時はまだ「シェアハウス」という言葉もなかったはずだ。「オルタナティヴ・スペース」や「コレクティヴ」といった言い方も、大して浸透してはいなかった。以後、それらの言葉やシステムがトレンドの皮を被って人口に膾炙（かいしゃ）したのは、日本の若い世代の経済的な貧困と無縁ではないだろう。とはいえ、私たちはそんなことには無自覚で、なにせ若かったから、文字通り何者でもない、しかし肥大した自意識を抱えた連中が、何事かを為すためのアジールの創出を夢見ていた。

言い出しっぺは齋藤恵汰という男で、渋家は彼の個人的な「作品」としての側面を持つ。今でも美学校で一緒に講師をしているが、もともと中学高校の一つ先輩にあたり、予備校で再会。彼は結局どの大学にも進学しなかったが、その頃から既に妙な求心力があった。

だいたい、所構わず勝手に住むことを人生のコンセプトにしているような奴で、なんと高校の一時期には、学校の校舎に住んでいた。私は在学中、友人たちとその住処の跡地を覗きに行ったことがある。場所は校庭と柔道場の隙間、じめじめと暗く窪んだ一角に、くしゃくしゃのブランケット、ガスコンロ、フライパン、そして飲みかけのウィスキーの小瓶が転がっていた。とんだレガシーである。そのあまりに生々しい遺跡ぶりに、私たちは吹き出すのを禁じ得なかった。またある時期の彼は、東大相撲部の部室に住み着いていたらしい。東大生でも相撲部でもないのに、だ。冷静に考えれば、そんな人間が成人してシェアハウスを立ち上げるのは、ごく自然の成り行きだったのかもしれない。

なぜ大学に活路を見出さず、わざわざ自分たちでスペースをつくったのかと言えば、大学に対して何の期待もなかったからだ。なるほど、学問を体系的に修める施設として大学は充分に機能していようが、しかしゼロ年代末期、私たちには大学が、学生の主体的な思考と行動を促す自治空間としての役割を、全く果たしていないように見えた。じじつ、私が入学した法政大学は、かつて「学園紛争のデパート」と呼ばれた要素が一掃され、小綺麗なオフィス同然の雰囲気。ただし、私たちがやりたかったのは学園紛争ではない。自分たちが自由でいられる場所をつくること、ただそれだけである。しかも、その営為は決して〈政治〉ではなく、あくまで〈芸術〉でなければならないと考えていたのだった。

最初に借りたのは、池尻大橋にあるアパートの一室だ。そこから駒場、恵比寿、そして南平台と、都合三度の引っ越しを繰り返し、徐々に人数や物件の規模を拡大しながら、渋谷の周囲をうろついてきた。

渋谷を選んだのに、何か決定的な理由があったわけではない。私のみならず、他のメンバーも渋谷には漠然と愛着を抱いていたし、何より、渋谷がユースカルチャーの中心地であることは疑い得なかったからだ。もっと言えば、ただ単純に「渋谷に住んでいる」と言ってみたくもあったのだった。


ある街に住んでしまえば、そこに至る道中は全て家路と化す。そうなれば必然、街角のそこここに思い出が張り付いていくことになる。

一つ目の家は、半蔵門線池尻大橋駅の出口から目黒川を渡り、首都高直下の246沿いをまっすぐ歩いて、一階に新聞の専売所が入ったアパートの五階。道路を挟んだ向かいには、大橋ジャンクションが壮大なコロシアムのように聳(そび)えている。私たちが住んでいた頃、ベランダでひたすら煙草を吹かしながら望むそれは、まだ足場の建設中だった。

そこから二年弱で越した駒場の一軒家へは、渋谷駅から歩けた。道玄坂を登った交番のところで裏通りに入り、花街のいかがわしさが残る円山町のラブホテル街から、神泉を抜ける。やがて差し掛かる松見坂の途中、閑静な住宅街に立地していた。メンバーは一〇人程度で３ＬＤＫ。この頃からリビングや寝室に加え、ＰＣが並ぶデジタル部屋、作品制作などの作業をするアナログ部屋といった区分もできた。

ちなみに、渋家（シブハウス）を名乗るようになったのもこの家からだ。それ以前は、中島らもの小説『バンド・オブ・ザ・ナイト』でジャンキーたちが入り浸る家の名を拝借し、〝ヘルハウス〟と呼んでいた。思えば、デカダンを気取った若気の至りである。渋家への改名は、いつものように深夜のデニーズ南平台店で駄弁っていた際に、その場のノリで決まった。同時に、渋谷区のマークを家の記号で囲ったロゴも考案されている。

次の恵比寿のフロアは、渋谷駅から離れたものの、初めての渋谷区だった。リキッドルームの奥で、明治通りと渋谷川に並行する路地に面した三階建て。一階にはフレンチ・レストランが入っており、二階、三階、屋上を借り上げていた。年がら年中、昼夜の見境なく、よくわからない若者たちが出入りして、レストランはさぞ迷惑だったろうと思う。

二〇一一年、四つ目の家でようやく渋谷と呼ぶにふさわしいエリアまで辿り着く。渋谷駅西口から、セルリアンタワー脇の長い坂道を登った南平台町で、地下から三階まであるデザイナーズハウス。地下に〝クヌギ〟なるクラブスペースをＤＩＹで構え、最大では三〇人近いメンバーが在籍していた。それまでは近隣との関係や物理的なキャパシティゆえ、どの家も長続きしなかったが、ここはおよそ八年ほど存続し、多額の修繕費を抱えながらも二〇二〇年に引っ越しが完了している。現在は渋家のコミュニティを引き継ぎ、初台付近でより若い世代によるシェアハウスが運営されているそうだ。

そんな渋家に、ルールらしいルールはなかった。強いて挙げれば、多数決を取らない、言いたいことを言う、ルールをつくらないという三点。なるべく制度や規制を設けずに、しかしある一定の秩序が保たれているような状態を理想としていたからだ。二四時間ドアの鍵は開けっぱなしで、基本的に誰でも出入りすることができる。その中で最初に受け入れたと言っていいのは、山口としくにという男だろう。

としくにには、池尻の家を借りた初日に開いたささやかなオープニングパーティに、メンバーの友人の大学の先輩という、かなり薄い関係性でやってきた。彼は大学生でもないのに中央大学の演劇サークルに所属し、その部室に住み込んで、脚本や演出を手掛けているということだった。その時まだ二五歳くらいだったはずだが、その毛深さも手伝って、二十歳前後の私たちの目には充分おじさんに映る。「クズ」と自称するように、金も仕事もてんでないのに、ナルシシズムは人一倍強く、しかも女にだらしない。その日から渋家に居座った彼は、しかしいつの間にかコミュニティを率いていって、今や渋家を企業化した株式会社の代表を務めている。ライブのレーザー演出を軸に、広くクリエイティブな事業を手掛けながら、かつての共同体の成員を雇って会社を経営している様には、なんだかんだで脱帽してしまう。

渋家が初期から変わらず一貫していたのは、とにかく他者と喋り、飲み食いし、寝起きしてはまた喋るという、住人のライフスタイルだろう。来訪者がいつしか常連になって、しっかり住居として利用しだすと、家賃を負担する「メンバー」となる。出入りしていたのは、美大や人文系の学生から、プログラマー、ダンサー、映像作家、写真家、ファッションデザイナー、アニメーター、ホスト、料理人、DJ、アーティスト、役者、ギャラリスト、キュレーター、SM嬢、マジシャンまで……要するに何らかの表現者やクリエイター、あるいはその志望者だ。そうした人々がジャンル横断的に交わり、様々なプロジェクトを協同して立ち上げることで、相互にエフェクトを与え合う場として機能していたことは間違いない。

ただ一つ言えるのは、男女を問わずそこにいたのが、どこか既存の社会にうまく適応できない人たちだったということだ。それぞれが何かしたいと思いながら、しかしその実、本質的には何をすればいいのかよくわからない——私自身も含め、そんな連中が集っていた気がする。

コミュニティの紐帯(ちゅうたい)を強めたのは、〈引っ越し〉である。

それは原理的に言えば、この共同体の拠って立つ根拠たる〝家〟が脅かされた際に生じる、「災害ユートピア」としての非日常的な祝祭だった。その臨界点は、セカンド・ハウスからサード・ハウスへの転居でもたらされている。

駒場の家では、月に一度ひたすら無料で人を集めたパーティや、メンバー各自が外に働きかけ開拓してきた表現活動によって、それなりの規模で展覧会を企画できる程度にはコネクションが広がりつつあった。そこで、一軒家全体を使った展示『渋家トリエンナーレ二〇一〇』を開催する運びとなる。民家でやる芸術祭。私はディレクターの立場に就き、自身の作品として、また展示のキービジュアルを狙って、一枚の真っ白い布で一軒家を丸ごと包むことにした。クリスト&ジャンヌ＝クロードのパロディであり、漫画『すごいよ‼マサルさん』における主人公の家のパロディ、いわば二重のパロディとして。

まず、服飾を学ぶメンバーのピーコに巨大な一枚布を縫い合わせてもらう。次に、なぜか皆で深夜の東大駒場キャンパスに忍び込み、渋家のロゴをステンシルでデカデカとスプレーする。それを原始的なレベルのマンパワーで屋根から引き上げ、計画は実現したのだ。

結果、私たちはすぐに強制退去を余儀なくされる。

布をかけた日の夜に、近隣、大家、警察から苦情が入った。ただでさえ近所から煙たがられていた矢先、新興宗教の拠点とも見紛う、白布で梱包された異様な家――追い出されるのは至極当然だったと言える。

しかし、ある種の〝終わり〟が設定されることで、濃密な共同性は立ち上がる。展示を控えた私たちには、引っ越ししか選択肢がなかった。ある者は実家に帰り、ある者は友人宅に潜り込み、またある者は野宿を図る。その上でバイトした金をかき集め、会議に次ぐ会議を重ね、物件を血眼で渉猟する。そうした足搔きが実を結んで、まさに「アート引越センター」とでも言おうか、ＳＮＳの勃興も追い風となり、事の一部始終をリアルタイムでドキュメントしながら、なんとかサード・ハウスを手に入れたのだった。あのギャンブルじみたハイテンションは、今も私の脳裏に刻み込まれている。

最終的に、恵比寿の家に入居したその日から三日間、まるまる七二時間オープンという形で、『渋家トリエンナーレ二〇一〇』は実施された。

出展作家には渋家メンバーだけではなく、結成したてのアートユニットであるキュンチョメがいたり、トークゲストとして社会学者の毛利嘉孝さんやギークハウス首謀者のphaさん、未来美術家の遠藤一郎さんなども来訪してくれた。なにせ驚いたのは、SNS経由でたくさんの知らない人が来たことだ。私たちは現場の様子を逐一ツイートし、ユーストリームで配信した。

実際、この頃から新たなバックボーンを持つメンバーが増えた。

現在アイドルやタレントとして活躍しているちゃんもも◎は、当時まだ一〇代のギャルで、家出してそのまま渋家に転がり込んできた。私は割合に気が合って、よく一緒に馬鹿話をしたものだが、両親を癌で亡くしたり、整形を繰り返したりしながら、後にテレビのリアリティ番組「テラスハウス」に出演することで、彼女の才能は一気に花開いた感がある。

インターネット・レーベルを主宰するtomadは、渋家にナードなクラブカルチャーの種を蒔いた。tofubeatsが『水星』をリリースする前夜の機運。民家にもかかわらず、週に一度というトチ狂ったペースでパーティを開いては、彼のDJで朝まで踊った。

そうした変化に伴って、渋家としての活動の幅も広がっていく。記者が住み込み取材をした『朝日ジャーナル』など、いくつかのメディアに取り上げられたし、外のハコでパーティを企画したり、ギャラリーやオルタナティヴ・スペースでの展覧会に呼ばれたりした。その流れの総決算が、二〇一一年初頭のトーキョーワンダーサイト渋谷（TWS）にある。

渋谷のど真ん中、公園通り中腹に立地していたTWSで、アンデパンダン展『わくわくSHIBUYA』とカオス＊ラウンジ『荒川智則展』が同時開催された。混沌とした展示空間の中で敢行されたオープニングパーティは、界隈の人間たちが入り乱れ、一堂に会する饗宴だった。

そのお祭り感は、ネット空間と現実空間の相互浸透によってもたらされたのではないだろうか。インターネット空間と、クラブやギャラリー、シェアハウスなどのリアル空間とは、今よりずっと無媒介に接続されていたのである。

そんなフロアで、ギャラリストである松下学さんの囁いた言葉が耳に残っている。

「これが一つのピークだろうね……」

まさしくそれは、ゼロ年代的文化における最後の徒花(あだばな)だったのだ。


ちょうど、その会期後半に東日本大震災が起きる。

二〇一一年三月一一日午後、私は渋家で雑魚寝(ざこね)していた。いつものように朝まで飲んだ次の日、数人の仲間と共に、昼過ぎまでコタツに潜り込んでいたのだ。激しい揺れを感じ、流石にすぐ飛び起きて、各々がとっさに本棚を支えたり、食器を持ったりする。余震がひと段落つくと、私たちはわけもわからず表に出て、ぶらんぶらん揺れる電線を眺めながら、ご近所さんと安否の挨拶を交わしたのだった。

その後、津波と原発事故という、筆舌に尽くし難い事態をブラウン管越しに目の当たりにするのは言うまでもない。その晩の私たちにできたのは、明治通りで列をなして歩く「帰宅難民」を見かねて、Twitter で呼びかけ、渋家を無料の宿泊所として開放することくらいだった。

この震災を機に、文化的なモードは様変わりすることになる。インターネット上の空気も含めて、シリアスなメッセージや表現で溢れるようになったのだ。私もまた、途方もないカタストロフの前で、自分に何ができるのかと煩悶するしかなかった。

こうして、松下さんの予感通り、ゼロ年代の狂騒は終わりを迎えるのである。

南平台のフォース・ハウスに引っ越してから、メンバーもさらに増加し、内外に多様な活動を展開しながら、例えば五周年を改装前の渋谷ＰＡＲＣＯ内のクラブ「２・５Ｄ」で、そして一〇周年を１０９メンズ館屋上「ＭＡＧＮＥＴ」で祝った。そうした中で世代も入れ替わり、新陳代謝も起きている。何にせよ、渋家というプラットフォームを経由して、色々な表現者が巣立っていったのは確かだろう。

渋家（シブハウス）とは、ゼロ年代から一〇年代を通して開け放たれていた、ドアの鍵が壊れた実験室だったのだ。そのセキュリティがガバガバのラボラトリーは、〈内部〉でもあり〈外部〉でもあるという一種の逆説を孕んでいた。家屋が渋谷を内面化し、渋谷が家屋の延長線上に広がっている。室内に街路を引き込み、街路で自室のように振る舞う——都市の自由な領域を仮構するその家は、あるいは公園だ。あれほど「来るもの拒まず、去るもの追わず」を徹底していた空間を、私は他に知らない。

渋家は、渋谷における重要な公共圏の一つだった。そう私は思う。

＊

長く工事中だった宮下公園が、「MIYASHITA PARK」としてリニューアルオープンした。

宮益坂下の路地の奥に入口があり、山手線沿いの街区に細長く伸びる四階建ての低層施設は、ハイブランドの大型店舗やカフェ、雑貨店、レストランなどが入った、つまるところショッピングモールだ。すぐ側にある、戦後闇市の名残りでできた〝のんべい横丁〟を尻目に、一階には〝渋谷横丁〟なる、巧妙に汚された看板を掲げる最新の居酒屋が、規則的に軒を連ねている。

肝心の公園は屋上に立地していた。スケートボードやビーチバレーのコート、ボルダリングウォールなどが設置され、足元には手入れの行き届いた芝生が敷かれている。その上では、大勢の人たちが思い思いに座ったり寝転んだりしていた。なるほどそこには賑わいがある。ただこれは公園というより、どちらかと言えば遊園地みたいだ。空には半円のアーチが幾重にも架かっていて、再びクジラの肋骨を連想させる。北側には、板チョコのようなホテルが一枚せり立っていた。

昔この場所で過ごした日々が頭をかすめる。

高校生の頃の宮下公園は、まだ雑然と樹木が茂り、砂地にゴミが散見され、ブルーシートが点在していた。そうした若干淀んだ空気の中、友人たちと調子に乗ってはしゃいでいて、ホームレスに怒鳴られたこともある。が、別にそれはそれでよかった。ああ、騒ぎすぎたなと反省し、その後も同じ空間を共有するだけだったからだ。

宮下公園からヒューマントラストシネマ脇の坂を少し登ると、美竹公園がある。さほど大きくないこの公園にも散々居座ったものだ。こちらはよりダーティな雰囲気で、周囲のブルーシートから常に見張られているような緊張感があった。穴ぼこの空いた球体状の遊具と公衆便所の他は特に何もない。でも、いつからか予約制のバスケットコートが、公園のかなりの部分を占めるようになる。金網で囲われたそこに、規定時間外は立ち入ることが禁じられていた。

同時期に、宮下公園にもフットサル場やスケートリンクができて、そのスペースのほとんどが金網で閉じられる。ネーミングライツが売られ、「ナイキパーク」になったからだ。その結果、公園内からホームレスは一掃されたが、公園下の路地にはブルーシートの小屋がぞろりと列をなすことになる。そして、今またあの人たちは、どこかに消えてしまったみたいだ。

——久しぶりに美竹公園に足を運ぶと、敷地のほとんどがフェンスと仮設壁で区切られ、立ち入れなくなっていた。どうやら公園内に渋谷区の仮庁舎が建てられ、解体されてから、更地のままになっているようだ。残りの狭い空間にブルーシートハウスが立ち並ぶ異様な光景。そんな美竹を後にして坂の下を見やると、突き当たりには MIYASHITA PARK が横臥している。中心部では、ルイ・ヴィトンのロゴが禍々（まがまが）しいほど明るく発光していた。……

渋谷という谷の底で、いかに〈悪所〉であることを回避しようとも、そこに新たに築かれる街並みもまた、別種の〈悪所〉になってしまうということ。毎夜二三時に施錠される扉の内部へ、果たして誰が入れるようになって、誰が入れないようになったのだろうか？

結局、渋谷は〈悪所〉たる宿痾から逃れられないのかもしれない。

ふと思い出すのは、池尻大橋の渋家の近くにあった宮下児童遊園だ。坂の途中の三角地帯に設えられた、お世辞にもきれいとは言えないその小さな公園には、錆びついたブランコや滑り台、朽ちかけのシーソーが寂しく置かれている。決まって深夜、私たちは家を抜け出しては、意味もなくそこに溜まって喋った。いつも嘔吐くほど煙草を吸って、日の出と共にハウスへ帰って眠るまで。

ここが俺たちのミヤシタパークだ、と嘯きながら再訪したその公園は、今も変わらぬ姿でそこに佇んでいた。

第四号

文学の死霊たち——外濠端景

私は大学に下ネタで受かっている。下ネタと言って差し支えあれば、性的なトピックを扱った答案で、だ。

高校時代に読んだモブ・ノリオの芥川賞受賞作『介護入門』や、浪人時代に神保町の古本市で出会った横光利一の小説『機械』などに衝撃を受け、大学で文学部に入りたいと考えていた私は、しかし全くと言っていいほど受験勉強が手につかなかった。どの科目も酷い偏差値だったが、唯一それなりに点数を取れていたのが現代文である。幸い古典が嫌いじゃなかったこともあって、国語だけは模試でもある程度の位置をキープしていた。

ただ、国語だけじゃどこにも受からないよなぁ、と依然ぼんやり過ごしていた私に、予備校のチューターが見るにみかねたのか、法政大学文学部日本文学科の「T日程」を勧めてくれた。半年ほど前から提示される課題図書を事前に読み込んだ上で、試験当日、その本に関する小論文を書くという試験だ。そこに一般的な古文・漢文の問題も付随する。が、逆に言えばそれだけなのである。

「国語だけで受験できる！」

私にとってその事実は、受験地獄に垂らされた、蜘蛛の糸の如き一筋の光明に思えた。ただし、倍率がめっぽう高い。募集人員が二五名で、志願者は例年四、五〇〇人いるらしいから、一〇倍以上ある。怠惰な受験生が考えることは皆同じなのだろう。でもやるしかない、なにせ他の科目はまるで勉強していないのだから。

その年の課題図書は幸田文の『きもの』だった。父・露伴の死後に活躍した女流作家が、大正期の女の半生を着物に寄せて描いた長編小説。言葉使いの美しさに目を見張りながら、私は夢中になってそれを読んだ。殊に、主人公・るつ子が少女から花嫁にまで至るそのビルドゥングスロマンには、性差を越えて感情移入したものだ。

そして迎えた試験当日、出された問いは「きものを通じて日常生活に張りがもたらされているところを述べよ」といったものだった。試験場を見回すと、周りには女生徒の姿が目立つ。一〇倍強の倍率、この中で出る杭たらねば受からないと直感した私は、小説のハイライトでもある結婚式の場面などを避け、あまり他の受験生が触れなさそうな部分に着目した。それは、「初潮」と「痴漢」のシーンである。

ある晩るつ子が風呂桶を跨ぐと、「はじめての紅が散ってい」て、まとわりつく浴衣を不快に感じる。また、身体の線が強調される「横縞の銘仙」を着た彼女は、電車で知らぬ間に「なめくじの這いあとのような」汚れをつけられてしまう。共に、大人になりつつある肉体と、まだ少女に留まっている精神、その間に生じる戸惑いや苛立ちが、繊細に描出されていた。

たとえ嫌悪される事態であれ、「きもの」を媒介に惹起される〈肉体と精神〉の齟齬（そご）が、るつ子という女の生に対して、逆説的に非日常の輝きを与えている——たしかそのような論旨を、私は硬質な文体で丹念に書いた。一文目には、「経血」と「精液」というう文言を入れ込んだはずだ。むろん、悪目立ちしてやろうという魂胆もあったが、決して対象を安易に弄（もてあそ）んだつもりはない。そこには、私なりの文学に対する想いがあった。

文学とは、ごく簡単に言ってしまえば、表面だけ見てもわからない、人間の〈奥底〉を描くものだ。それゆえ、文学はある種の危険性を孕むものでもある。読者の首根っこを引っ摑んで、幾ばくかでもその人生観をねじ曲げてしまうこと。それこそが文学であり、実際、私は何編かの小説にそんな影響を受けて、これから文学をやろうとしているのであった。当時まだ若かったとはいえ、それは今でも文学のみならず、芸術一般に対する自身の理解でもある。

だから『きもの』においても、ある意味で後ろ暗い、性の領野に分け入った。色とりどりの「きもの」がもたらす華やかさだけでなく、心身の成長に伴って欲望され、引き裂かれる女性の内面の〈奥底〉を描いているからこそ、この小説は懐深いと思うのだ。

……その答案が功を奏したかどうかはわからないが、こうして私は、なんとか大学に潜り込むことに成功したのだった。

*

江戸城外郭として開削された、牛込から赤坂へ続く外濠の一部は、江戸の名残りをとどめながら、今も満々と水を湛えている。

その濠端、市ヶ谷と飯田橋のちょうど中間辺りに、法政大学は位置している。JR市ヶ谷駅から釣り堀を横目に、外濠公園の桜並木を歩いてすぐ。そのまま行けば飯田橋、左に折れて濠上のカフェを越えれば神楽坂だ。校舎の裏手にある、富士見坂と接しているのが靖国神社。濠と公園に挟まれた土手には中央線が走っている。

大学生活への期待値はそもそも低かったので、サークルなどには入らなかった。むしろ、入学と同時に通い始めた美学校が楽しく、帰宅すればそこは騒がしい渋家で、大学の授業そっちのけで遊び回っていた。ただ、向学心のようなものが全くなかったわけではなく、なるべく本は読んでいたし、美術展や文化人のトークイベント、他大学のゼミなんかに熱心に顔を出している。

特に、首都大学東京（現東京都立大学）の社会学者・宮台真司さんのゼミには、南大沢にあるキャンパスまで、週に一回、二年ほどモグリで通った。その頃の宮台ゼミは、学外生が三分の二くらいを占めていて、モグリと言っても春夏のゼミ合宿にも欠かさず参加するくらい、いわば正規のモグリだったのだ。ゼミ生は他大生や院生、社会人とバラつきがあり、おしなべて意欲が高い。そこで触れた思想史や政治哲学は、どれだけ吸収できたかはさておいて、ある程度自身の血肉になっているはずだ。

そうした日々の中で、当然、法政の授業はサボりがちになる。四年次には、朝から晩まで毎日授業に出席して、そのツケを支払うことになったが、かろうじて留年だけは免れることができた。

授業では、小説家の島田雅彦や中沢けい、批評家の田中和生らの講義が印象に残っているが、何と言っても力を注いでいたのはゼミである。私の所属は文学コースの近代文学専攻で、三年次にはゼミ長も務めた。ほとんどゼミのために大学に通っていたと言っても過言ではない。

担当教授は、立石伯という筆名を持つ、文芸評論家の堀江拓充先生だった。私が卒業してすぐ退官されたくらい、既にご高齢だったが、かの伝説的な小説家である埴谷雄高の弟子筋で、専門は、埴谷はもちろん、武田泰淳、石川淳、高橋和巳、海外文学ではドストエフスキーとカフカという、かなり重厚な文学者。ゼミでは前記の作家に加え、漱石、鷗外は言わずもがな、坂口安吾や大岡昇平など、日本近代文学における重要な作家の作品を、一通り扱うことができた。

基本的に先生は寡黙で、いつも学生によるレジュメの発表をじっと聞いている。やがて学生たちが議論を交わす段になると、突然、核心を突く言葉をポソリと投下する。例えば私が横光について発表していると、一言「まぁ、横光は下手くそだから……」と零したのが、なぜだかたまらなく可笑しかった。ともかくこのゼミで、私は文学のイロハを教わったのだ。

ゼミ生には、一個上と一個下に、一人ずつおもしろい人物がいた。シャレていて先輩肌の板倉さんと、モジャモジャの毛髪に眼鏡の、文学青年然とした関口くんだ。二人とも膨大な数の小説を読破しており、博覧強記。板倉さんは埴谷を、関口くんは石川淳を専門と定め、各々ストイックに読み込んでいた。そして、彼らもまた私と同じく「T日程」の入試組だった。板倉さんの受験時の課題は、原民喜だったらしい。広島で被爆した体験を書き綴ったその作家について、同じく広島出身の板倉さんは、当事者性をもって入念に回答したという。私は彼らよりよほど不勉強だったが、そんな文学狂いの三人でゼミを回していたようなものだ。

ゼミの後には、堀江先生も交えて飲みに行くことが多かった。よく連れていってもらったのは神楽坂の「萬月」だ。卓を囲んで焼き鳥をつまみ、ビールや日本酒を傾けながら、喧々諤々と議論に興ずる。芸者こそ上げないものの、尾崎紅葉や泉鏡花ら、硯友社の根城でもあった神楽坂。そこで師や朋輩と文芸を談じることが、「ああ、文学をやっている」と実感されて、酒ばかりでなく、その雰囲気自体に酔っ払っていた節はある。

先生は、酒が入ると一転して饒舌になった。そして口癖のように、

「文学なんてね、気違いじゃないとできないんだよ」

と宣っては、白い顎髭を揺らしながら、カッカッカと屈託なく笑うのだった。

卒業論文では横光利一を扱った。

大学の規定は「原稿用紙五〇枚以上」だったが、私は二〇〇枚ほど書き上げている。横光ほどそのスタイルを変転させた作家は珍しく、無謀にも前期・中期・後期と分けて、主要な作品を網羅的に扱ったためだ。

しかも、堀江先生のこだわりによって、パソコンの使用は認められず、原稿用紙に手書きのみ。旧弊と言ってしまえばそれまでだが、それでよかったと思う。なぜなら、対象とする時代の作家や批評家たちは、現に、原稿用紙に手書きで仕事をしていたのだから。実際、画面に向かいキーボードを打ってつくるテクストと、紙にペンで書きつけるそれとでは、文体やリズムに相違が生じるはずなのだ。

ところで、私は三年生と四年生の間の春休みに三・一一を経験している。その頃、卒論の準備として横光を読んでいた私は、震災にあってすぐ、彼のある言葉を思い出していた。

「日本ではシュールリアリズムは地震だけで結構ですから、繁盛しません。」

これはパリに外遊した横光が、ダダイズムの始祖である詩人、トリスタン・ツァラのモンマルトルにある家を、岡本太郎と訪ねた時に言わんとした科白である。

以前は陳腐にしか響かなかったこの文言が、震災を目の当たりにした私には、途端に切実なリアリティを帯びて迫ってきた。シュールリアリズムより遥かにシュールな光景が、ディスプレイを通して見る被災地に、確かに広がっていたからだ。

横光は関東大震災の瓦礫の中から、新感覚派を立ち上げた。では、東日本大震災の後で、果たして私には何ができるのだろうか……？　それがこの卒論を書くにあたっての、根本的な動機の一つでもあった。

結果、大学図書館と、当時居候していた、歌舞伎町で働くホステスだった彼女の、中野坂上にある実家に籠り切りで、腱鞘炎に苛まれながら、なんとか横光と自分なりの決着をつけたのだった。だが、やっとの思いで卒論を提出したところ、卒業には単位があと一つだけ足りていないことに気づく。慌てて落とした授業を受け持つ先生の研究室に駆け込むと、代替のレポートを提案してくれた。

課題は、夏目漱石の『明暗』について。漱石は、法政からほど近い喜久井町の生まれだ。何より漱石最期の作である、この未完の小説が、自身の学生生活の最後にあてがわれたことに不思議な巡り合わせを感じながら、どうにかレポートを提出し、ようやく卒業を迎えることができたのだった。

*

現在、法政大学の校舎は普請中だ。

私が入学した時には、既に学生会館はなかったし、高層のボアソナード・タワーが空を貫いていた。つい最近解体された55年館と58年館は、白と黒の格子状のファサードが効いた、大江宏によるモダニズム建築で、なるほど老朽化してはいたが、その中で学生生活を送れたのは貴重だったのだと思う。

昼休みには、文化連盟なる団体が校門前で拡声器を用い、大学当局を批判していた。その後方には、決まって数名の公安警察が張り付いている。それはどこか伝統芸能にも似て、法政の平和な日常の景色の一部だった。

私はたまに、文化連盟の人たちと議論をした。「あなたは実存的に満たされていないから、このような運動をしているのではないか？」などと吹っかけるのだ。じじつ、どこかの大学を中退し、政治活動をするために法政の通信に籍を置いている、みたいな人も多かった。そうした切り口から、しかし現代社会への問題意識を共有してみたりと、なかなかいい暇つぶしになる。一通り喋ったその足で食堂におもむき、列に並んでいると、後をつけてきた警備員に肩を叩かれ、学生証の提示を求められたこともあった。その日、私は剃りたてのスキンヘッドにトレンチコートを着ていたから、右なのか左なのか、とにかく怪しい奴だとマークされたのだろう。

法政のちょうど真向かいの外堀通り沿いには、ミヅマアートギャラリーがある。私の在学中に移転してきた、大きなコマーシャルギャラリーだ。だから、授業の合間や放課後に、めぼしい展覧会を気軽に見に行くことができた。

ミヅマでの、会田誠さんや松蔭浩之さんの展示のオープニングパーティには、よく顔を出した。二次会はいつも神楽坂の「竹子」に流れる。一見、高級割烹のような門構えを持つ、激安居酒屋チェーンだ。大人数で二階を貸し切って、作家、批評家、ギャラリストなど、美術関係者が入り乱れ、与太話と芸術論を酌み交わす。最若手の学生組だった私は、その末席を汚しながら、しかし美術界のリアルを実地に見聞することができた。

市ヶ谷在住だった松蔭さんの結婚披露宴も、ミヅマで開催された。釣り堀近く、外堀通りから急な石段を登り、高台に位置する亀岡八幡宮で神前式を挙げてから、一同ミヅマへ。余興では、私まで花嫁姿になってラップをしたりしたが、そのパーティのDJをモブ・ノリオさんが担当していた。大阪芸術大学出身のモブさんは、同様に大阪芸大出身である松蔭さんの元アシスタント、要するに兄弟分だったのである。

例によって二次会は竹子で開かれたが、ふとした流れで、私とモブさんの二人でコンビニへ煙草を買いに行くことになった。憧れの作家である。ガチガチに緊張しながらも、たしか煙草を奢(おご)ってもらう。その戻り際、市ヶ谷の街並みを見ながら、モブさんは私に言い聞かせるように呟いた。

「東京はどこにいるにも金がかかるやろ。ちょっと休もう思ても休める場所があらへん。ほんで、こんなに仰山、ビルいらんねん。ま、俺は東京には住めへんやろうな……」

この時の言葉は、未だ私の胸に強く刻まれている。ちなみにモブさんはどこかの文章で、「千代田区」に「BABYLON」というルビを振っていたが、このことが彼の脳裏にあったかどうか、もちろん定かではない。

実は、同時期に似た話を、ある人から聞いている。ある人とは、ラップグループであるスチャダラパーのMC・Boseさんだ。二〇一二年に中目黒のギャラリーThe

Containerで、毎日ゲストを呼びトークを配信するという、渋家(シブハウス)の展示企画があった。

ひょんなつながりから、そこにBoseさんが出演してくれたのだ。

収録当日、私とモルフォビアでたっぷりと話を聞いた、その帰り道。中目黒の駅前に新しくできたタワーマンションを見上げながら、Boseさんはこんな風なことを語った。

「ほら見て、上の方ほとんど真っ暗でしょ。タワマンなんてほんとうはいらないんだよ。今は人口も減ってるし、家を買う人だって減ってるのに。それこそ君たちは一軒家をシェアして住んでるわけじゃん。ただ収容率を上げてお金儲けしたいだけなのが見え見えでさ。こんなのバンバン建てないでいいのにね……」

震災の翌年、尊敬している二人の表現者から聞いた話は、偶然にもシンクロしていた。若い私に彼らが何を伝えようとしていたのか、これからもずっと考え続けていく必要があるのだと思う。

＊

隣駅の四ツ谷には、外濠に沿う長くゆるやかな高力坂を登って、しばしば足を延ばした。大学三年の半ばまで、上智大学神学部の女の子と付き合っていたということもあるが、別れて以降も継続して四ツ谷へ通うことになる。芥正彦さんの稽古場「１０５」があったからだ。

芥さんと言えば、一九六九年、東大全共闘と三島由紀夫との討論会で、赤ん坊を負ぶったまま自由奔放な発言をした人物として有名だ。当時から劇団を主宰していた演劇人で、その後も寺山修司と共に雑誌『地下演劇』を出版するなど、アングラ文化のリビング・レジェンドである。そんな芥さんを、美学校の藤川公三代表が紹介してくれたのだ。

その頃、私は三島由紀夫に傾倒していた。きっかけは、高校時代に抱いた三島への三面記事的な関心だ。ボディビル、映画、男色、楯の会、そして切腹と、その生き様をまずはおもしろがった。やがて、そこから逆算するように小説を読んでいき、その文学にも惹かれていくことになる。

そうして私が始めたのは、なぜか三島の形態模写だった。初めは高校の卒業式、スーツを着て坊主頭の私は、マジックペンでモミアゲと眉を太くする。その眉をグッと八の字にして眉間に皺を寄せ、二重瞼の目玉をひんむいて卒業証書を受け取ったのだ。美術家・森村泰昌の三島に扮するパフォーマンス作品を知ったのは、そのだいぶ後である。それがウケたことに味をしめ、予備校では軍服風の衣装や鉢巻を揃えて、パフォーマンスを敢行した。自衛隊駐屯地で割腹自殺を遂げた事件のパロディとして、三島の檄文を徹底的に無意味化した演説を打ってから、「天皇陛下万歳！」を叫びながらマスターベーションの所作を行う、という代物だ。

もちろん、そこには三島に対する自分なりの批評性を込めていた。その死に様に魅せられる部分と、滑稽に感じる部分とが交錯する両義的な心性。あるいは、「大きな物語」を生きられた時代への憧憬と、自分たちの世代的な矮小さへの諦念。そうしたアンビバレンスをそのまま投げ出したのが、このパフォーマンスだった。

藤川さんは、そんな私を見ていて「105」に誘ってくれたのだろう。四ツ谷の交差点から住宅街へ入った、とあるハイムの一室。六〇年代からずっと使われているという、その105号室は、コンクリートがむき出しになった、殺風景な稽古場だった。中央に無骨な木のテーブルが置かれ、本棚には哲学書がずらりと並ぶ。デッサンが掛かったイーゼル、アントナン・アルトーのポスター、鈴木いづみの本や阿部薫のレコード、大きな鏡、シングルベッド、レッスンバー。それらが散らばる灰色の空間には、禁欲的な緊張感が漲(みなぎ)っており、その中心で、芥正彦は古びた椅子に腰掛けていた。

芥さんは、とにかく喋りだしたら止まらない。フランス現代思想の日本語訳みたいな言葉を、まるでアジテーションのように語り続ける。内容は極めて形而上学的で、さながら観念の化け物だ。それでいて無邪気な愛嬌がある。初訪問以来、時々ここを出入りするようになるが、三島や学園紛争のことも含め、いつも刺激的な話を聞かせてもらった。

一度、芥さんに殴られたことがある。中野の劇場「テルプシコール」で、芥さんの公演を手伝った時だ。

千秋楽後、すぐ隣の居酒屋「つつみ」にて、いつも通り催された打ち上げの席。どういう経緯か忘れたが、話題が三島由紀夫に及んだ際、そこそこ酔いの回っていた私は「三島はフェイクである」という持論を展開する。その装飾過剰な文体、華美な邸宅、身にまとった筋肉の鎧、そして政治団体のキッチュたる楯の会――。そうした虚構性に対して、とはいえ私は私なりに、真摯に向き合っているつもりで、三島はある意味「ニセモノ」だと捲(まく)し立てていたら、芥さんに頭を平手で叩かれたのだ。

「馬鹿野郎、三島はニセモノじゃない！　三島は腹を切って、現実に死んだんだ」

芥さんはそれだけ言って黙ってしまった。

もちろん座は気まずい空気に包まれたが、私はすぐさま反省しつつ、同時に心のどこかである嬉しさを覚えてもいた。芥さんが三島の死を重く受け止め、今もその肩に背負っていることが知れたからだ。

だいたい、芥さんの言う通りなのである。いくら周囲を虚飾で埋めようと、しかしその最期、三島はほんとうに腹を切り命を絶った。物理的な死を実行した点において、あらゆるフェイクはリアルへとぐるりと反転する。その一点にこそ、三島の全てがかかっていたのだ。

あの時の芥さんの叱責は、間違っていなかったと今でも思う。

「105」に通ううち、芥さんの舞台に私も出演することになった。アルトーを主題とした公演で、役者のみならず、舞踏家、パフォーマー、ノイズミュージシャン、そして江戸糸あやつり人形が出演する、カオティックな前衛演劇。その中で、私は三島由紀夫役を演じたのだ。

私の三島は、あまりにヘビーな劇全体に対して、休憩直前、飛び道具として登場する、箸休め的な役割でもあった。舞台上で、アルトーの自我の崩壊と連動するように、原爆が爆発し、昭和天皇が「余は、耐え難きを耐え、忍び難きを忍び……」と玉音のフレーズを発話するタイミングで、観客席の後方から叫び声をあげ舞台に駆け上がる。そこで、例の自決前の演説のパロディを演じるのだ。

さらに、朗読のため観客席側にいる芥さんから、様々な言葉の礫（つぶて）が飛んでくる。これが全てアドリブで、私が狼狽し、しどろもどろの返しをすると、それが笑いになる。全共闘として三島と対峙した、実在の芥正彦と行う、演劇という虚構の中でのリアルなやりとり——虚実が幾重にももつれたあの瞬間、私はなんとも言えない高揚感に包まれていた。

その後も断続的に、芥さんの舞台には端役で出演し続けているが、彼は相変わらず精力的だ。「105」もまた、変わらず四ツ谷の一角に佇んでいる。

*

三島由紀夫が自決した自衛隊駐屯地は、言うまでもなく市ヶ谷にある。外堀通りから靖国通りへ折れてすぐ、今は防衛省の庁舎になっている場所だ。

現在この国は、三島が『果たし得ていない約束』で予見したような、「無機的な、からっぽな、ニュートラルな、中間色の、富裕な、抜目がない、或る経済的大国」にすら及ばず、いろんな意味で下降している最中である。

——そうした日本の有様に、未練を断ち切れず、まるで平将門の首のように、未だに三島の生首がこの辺りをふわふわと浮遊しているかもしれない。半世紀経ってなお、その首は外濠端を眼下に見据え、大仰な演説を打っているのだろうか。そういえば、この原稿を書いているのは、ちょうど三島の自決から五〇年目の晩秋だった。……

斯様に私にとっての外濠界隈は、埴谷雄高ではないが、まさに文学の「死霊（しれい）」が漂うエリアだ。私はここで、とうに死んだ人間たちと、しかしその作品を通して、確かに出会ってきたのである。

時代と共に大学も、街並みも、そして文学も変質していくだろう。私もまた、自らの生をただ揺蕩っていくのみだ。

外濠沿いの土手には今日も中央線が走っている。

第五号

丘の上のヴァレーズ——麻布風景

人気のない六本木ヒルズでは、村上隆の彫刻《お花の親子》が、金箔をピカピカと輝かせ立ちすくんでいた。目線の先には、ルイーズ・ブルジョアの大蜘蛛《ママン》が対峙している。まるで怪獣映画だ。そのちょうど中央には、五輪へのカウントダウンを示す電子時計が置かれていた。二〇二一年の初頭、「東京オリンピック二〇二〇」までの日数は、あと二〇〇日近くあるらしい。まず大前提として、この街の時空が歪んでいるのは間違いない。

とりあえず落ち着かねば、そう自分に言い聞かせ、喫煙所に滑り込む。今や私たちは喫煙所でだけマスクを外すことができた。間仕切りには最大利用人数や利用時間の書かれた紙が貼り付いている。その隙間から覗くテレビ朝日前のアリーナはもちろん空っぽで、大型ビジョンの中で嗤うピーポくんと不意に目が合った。先日、渋谷の「420」

前で職質された時の嫌な気分が蘇ってくる。畜生、股下まで触ってきやがって！

いかん、また心が乱れてしまった。ここはよくない、河岸を変えてもう一服しようと、以前からよく利用していた喫煙スペースへ立ち寄ると、そこはもう禁煙になっていた。毛利庭園から六本木の向こうまで一望できる、見晴らしのいいバルコニー。ここからは東京タワーがきれいに見える。この場所で吸うハイライトは、いつもとても美味しかったのだけれど。

そういえば、学校の校庭からはいつも、東京タワーと六本木ヒルズを一目に見渡すことができた。

私の〈東京の原風景〉は、中学高校時代に通った麻布である。有栖川公園に沿って延びる坂を登った丘の上。通りに面した狭い校門には、麻の葉を象（かたど）った校章がくっついていて、奥の校舎へと細長いアプローチが続いている。校舎は私立校とは思えないほどボロく、しかしそれゆえ居心地がいい。すぐ右隣はカタール大使館で、あちら側は治外法権だから決して塀を越えてはいけない、と誰からともなく聞かされていた。

入学式の時、当時の校長だった根岸隆尾先生は、たしかカントを引きながら「自由と責任」の話をした。中学一年生の私にはその意味がよくわからなかったし、正直、今になってもよくわからないままだ。ただ、麻布で過ごしたあの六年間が、「自由」そのものだったのは確かである。それは私の人生にポッカリと空いた、巨大で濃密な空白だった。

麻布学園はよく「自由な校風」と言われる。たしかに校則はないし、制服もない。毛髪は何色でもいいし、宿題だってほとんど出なかった。でも、そういう表面的な部分だけではなく、もっと根本的に、「自由とは何か?」という問いを刻印されてしまった気がする。今でもその「自由」に翻弄され、振り回されて生きているのかもしれないのだ、少なくとも私は。

澄んだ水色の空に尖塔の赤と白が浮かんでいる。風が頬を切るように冷たい。二度目の緊急事態宣言下の東京は、感染症のみならず、その都市の内部において、ある種の病を進行させているようだった。けやき坂やミッドタウンではテナントの撤退が相次いでいるらしい。さっき来る時も、広尾駅前にずっとあった神戸屋キッチンとマクドナルドが閉店していた。ヒップホップグループ、マイクロフォン・ペイジャーのリリックみたいに、反語ではなく字義通り「病む街」。東京の中央から空虚の中心は広がっていく。拡張するドーナツの穴。これは都市のあり方の崩壊かもしれないが、本来あるべき姿に戻りつつあるだけなのかもしれなかった。どちらにせよ、東京が巨大な空白になれば、もしかしたら、私たちは真の「自由」を獲得することができるようになるのだろうか？

……

煙草も吸わぬまま、とりとめなく考え込んでしまった。とにかくいったんここから離れよう、この時空の歪んだ丘の上から。

＊

麻布は山の手の魅力が詰まった街だ。とはいえ、起伏に富んだ丘と谷が連なって、それらを無数の坂が結んでいる。だから地形は複雑に入り組んで、谷地には昔ながらの町人街も多い。つまり、山の手に位置するものの、山の手と下町双方の街並みが同居しているのだ。麻布と聞くと、高台の高級なお屋敷街をイメージしがちだが、そこで遊び回っていたという意味でも、私にとって麻布は一種の下町でもあるのだった。

麻布という地名の由来は、読んで字の如く、この地に麻を多く植え、布を織り出したところから来ているそうだから、かつてこの一帯には麻畑が広がっていたのだろうか。だとすれば、この地の人たちは多かれ少なかれ、大麻でハイになっていた可能性がある。

それはさておき、まず、そこは登下校の道のりとして姿を現した。主に私は広尾駅を使っていたが、最寄り駅は生徒によってまちまちで、麻布十番駅や乃木坂駅を利用していた者も少なくない。どこから乗降するにしろ、坂を上ったり下ったりしながら、学校へ足を運ぶことになる。

都心にある進学校だから、麻布が地元だという生徒はほとんどいない。皆住居はバラバラで、サラリーマンみたくそれぞれのホームタウンから集まってくる。私が横浜市のニュータウンから通学していたように、東京近郊の郊外から通う連中が多かった。神奈川、千葉、埼玉、はては茨城や栃木から、遠路はるばるやってくる猛者もいる。もちろん東京住まいもいるし、さらには学校から徒歩圏内の奴もいたが、それはだいぶ金持ちな部類であって、皆して港区のシティボーイを気取ってはいたものの、自分も含めた大多数は結局、その日その日のオノボリサンなのであった。

それでも、集まる場所が麻布であることに違いはないから、放課後はその近辺で遊ぶことになる。思春期において、大半の時間を麻布界隈で過ごしたのは事実だ。その意味で、麻布は私の「根拠地」の一つと言っていい。

学校の近辺は基本的に住宅街であり、大使館ばかりが目立つようなところだったから、入学したての頃は、せいぜいナショナルマーケットや広尾商店街で道草を食うにとどまっていた。今でも広尾には、巨大資本の入り込まない落ち着いた雰囲気が保たれている。広尾方面でなければ、はっぴいえんどではないが、暗闇坂を抜けて麻布十番へおもむく。夏祭りには毎年のように出向いた。あの細い街路をぎゅうぎゅうになって歩き、階段状の小さな広場で一息入れるのは、なんとも言えず楽しい。

何より身近なのは、有栖川公園だった。江戸時代に武家の下屋敷として使われ、明治以降は皇族・有栖川宮の御用地になって、昭和初期に一般開放された公園だ。木下坂と南部坂に挟まれた、低地から高台に至る大きく傾斜した地形。かなり立派な渓流や池があり、中学一年生の頃、たしか美術の課外授業において、私は水彩でここの滝を描いたのだった。

登校時、気まぐれに有栖川公園の中を通って行くこともあれば、下校時に立ち寄ることもある。だいたい、授業中であろうがお構いなく、校舎はいつでも出入りが可能だったから、昼休みはもちろん、ちょっとした空き時間や自習時間、あるいは授業を抜け出しては有栖川に潜り込んだ。池を見下ろせるお気に入りのベンチがあって、そこでぼんやりしたり、友人と駄弁ったりする。また、園内には都立中央図書館、私たちが言うところの「トリチュー」があり、定期テスト前など、放課後に数人で訪れることもあった。私は劣等生だったから、大抵は勉強などせず、書架から適当な本を引っ張り出して読み耽ったり、机に突っ伏して寝たりして無為に過ごす。

　有栖川公園には卒業後もたまに遊びに来たし、女の子とのデートでも立ち寄った。渋家（シブハウス）をやっていた時には、スペースシャワーTVの企画で、園内の小広場にある東屋を布で覆って占拠し、そこにどれだけ住み続けられるかを試している。結局、布をかけたその夜に警察が来て、例の如くすぐに撤去させられたのだけど、その様子を映像に収めることはできた。警察沙汰で言えば、過去に麻布の先輩たちが、大勢で飲酒して有栖川の池に飛び込み、輪になって校歌を歌って大問題になった。麻布生には、こういうどうしようもない側面が多々ある。

　有栖川以外にも、周辺の公園には友人たちと連れ立って時々出かけた。六本木ヒルズのさくら坂に面するロボロボ公園、通称「ロボ公」は、韓国人アーティストのチェ・ジョンファによるデザインで、ロボットをモチーフとしたトーテムや、カラフルな滑り台が据え置かれている。少し遠出をするなら、東京タワーの麓にある芝公園。広い園内には、江戸の三大寺に数えられる増上寺を構え、実は足元が芝丸山古墳であって、緑深い小山になっている。それらに溜まっては、買い込んだ缶ビールなんかを飲みながら時間を潰すのだ。

公園とは少し違うが、昔、学校のすぐ裏手には「がま池」という大きな池があったと聞いていた。四面は深い樹林に囲まれ、いかなる日照りにも涸れることなく、湧水を湛えていたそうだ。学生時分は「野暮ったい名前だなぁ」くらいにしか思っていなかったが、「麻布七不思議」の一つでもある伝説はおもしろい。江戸時代に大火事があった際、この池の大カエルが水を吹きかけて、猛火を退けたというのである。

そんながま池だが、もうなくなってしまっているのかと思いきや、わずかにその面影を残していた。大部分は埋め立てられたものの、その一部が高級マンションの敷地内に収まっているのだ。調べてみると、一般公開はされておらず、そのマンションの家賃が月八〇万円だというから、私ががま池を実地に拝めることは、今生ありそうにない。いまや四面は樹林ではなく、資本に囲繞されてしまった。

よく利用する近隣の店などは、隠語(スラング)で名指し合った。例えば、学校のすぐ側と広尾駅前、丘の上と下にそれぞれあったサンクスは、「カミサン」と「シモサン」、六本木と芝の方に二店舗あったサイゼリヤは、手前を「サイゼ」、後方を「ゼリヤ」と呼び分けた。

あだ名の延長みたいなものだ。近所にある元麻布ヒルズの呼称は特に下らない。おそらく日照権やビル風に対処するためだろう、下の方は細く、上の方が出っ張った形状の高層マンション。正式な名称は樹木をイメージした「フォレストタワー」らしいが、私たちはそれを「TENGAビル」と呼びならわした。

何を隠そう男子校であり、むろん生徒は男子しかいなかったから、会話の八割が猥談で構成されているようなところがあった。今思えば、極めてホモソーシャルな空間だったことは疑う余地がない。たしかに周りに女子がいないことで、敏感な思春期に、異性の目を気にすることなくのびのびと振る舞うことはできた。ただ、羽を伸ばし過ぎていたというか、昨今のジェンダー的な観点ではどうなのかというくらい、要はぐずぐずにマッチョだったのだ。中高一貫の男子校というのは、さしずめ精液を飛ばし合うようなコミュニケーションによって成り立っていたのである。

そうやって同輩たちと背伸びをしたり、先輩に連れられたりして、中目黒、恵比寿、渋谷など、徐々に周辺の繁華街へ足を延ばす。やはり手近だったのは、歩いて行ける六本木だ。よく立ち寄ったのは、ゲーセンやカラオケ、ネットカフェ、ラーメン屋など、他愛もない場所ばかりだが、私が入学した当初は、ちょうど六本木ヒルズを建設中で、森タワーがにょきにょきと伸びている最中だった。中学三年の春にオープンしたその最上階には、森美術館が据えられていたし、その後もミッドタウンの方に国立新美術館ができたり、学校の隣の建物に村上隆の事務所とギャラリーが入ったりしたから、六本木がいわゆる〝アートの街〟になっていく、その只中だったのだと思う。

そんな街のイメージ戦略を尻目に、硬式テニス部に所属していた私は、部活の一環として、迷路みたいな六本木ヒルズの中をジャージ姿で駆け回っていた。けやき坂を列になって下り、宮島達男のデジタルカウンターと蔦屋書店の間をすり抜ける。そこから東洋英和女学院のある鳥居坂をぐるっと回って、再び学校に帰るのだった。

*

「麻布のキが知れぬ」という東京の言い草がある。

麻布には六本木という地名があるものの、それにあたる木がないところから、「木が知れぬ」に「気が知れぬ」をかけたシャレだが、実際、麻布学園のキも知れないのだった。

なにせ、明文化された校則が存在しない。細かく見れば、「鉄下駄禁止」「賭け麻雀禁止」「授業中の出前禁止」という三つの禁止事項があるにはある。が、鉄下駄を履く現代人はそういないし、賭け麻雀は嗜む者が気をつければよく、授業中の出前に至っては、常識的に考えて実行する方が面倒だ。巷間で理不尽な校則が問題視される昨今、なかなか母校を嫌いになれない所以である。

それゆえ、学内は無法だった。じじつ、世間に横たわる法律の範囲内であれば、いくらでも融通が利いた。校則による束縛の不在は、いわば〝いっぱしの大人〟として扱われることを意味する。それが多感な年頃の青年にとって、どれだけ自尊心の糧になるかわかったものではない。たとえその処遇が、親や教師の庇護のもとに与えられた、かりそめの自立だったとしても、だ。

そうした「自由」や「自主自立」を尊ぶ校風は、学園の歩みによって醸成されてきた。その核にあるのは、おそらく〈創立の精神〉と〈学園紛争〉だ。一三〇周年を迎えようという本学の、この二つの歴史的な事柄を、自身の実感と共に紐解いてみたい。

まず、麻布学園の創立者は、江原素六という人物である。講堂前には彼の銅像が佇んで、いつも生徒たちを見澄ましていた。

江原は江戸時代後期、貧しい武士の子として生まれ落ちる。幕末の騒乱に際しては、幕府軍の若き指揮官として活躍。江戸幕府の敗退後、明治維新に伴い、徳川家と一緒に静岡の沼津に移住している。そこで種々の事業を興す傍ら、日本における近代的な学校の草分け・沼津兵学校の設立に加わった。だから麻布生は入学直後、学校行事で沼津へ連れていかれる。江原素六の墓参りや記念館の見学を通して、母校のルーツを実地に辿るためだ。

その後、アメリカ視察を経た江原は、キリスト教の洗礼を受けクリスチャンへ。また板垣退助らに共鳴し、自由民権運動に参加。第一回衆議院選挙に当選して、国政にも乗り出した。同じ頃、カナダはメソジスト教会のミッションスクールとして設立された、東洋英和学校の校長を引き受ける。そして明治二八年、その校内に麻布尋常中学校を創立。明治三二年には、教会と関係を絶って校舎を現在の土地に移転する。布教活動とは一線を画した中等教育を目指し、麻布中学校を設立、初代校長となった。

以後、寄宿舎の隣に住み込みながら、生徒たちと寝食を共にし、麻布の教育に力を注ぐ。「青年即未来」という教育理念を掲げた江原は、怒った顔を誰も見たことがないというくらい、寛大な人格だったそうだ。朝帰りが見つかった生徒たちを、叱ることなく笑って受け流したというエピソードが微笑ましい。

終生、『論語』と『聖書』を愛読書とした江原。その根底にあったのは、「武士道」と「キリスト教」という二つの精神だった。そこに、自由民権思想や彼の人柄が重なり、ある種のリベラリズムと言おうか、懐深い独自の自由主義が形成されたと考えられる。しかも、江原が明治維新の「敗者」であり、麻布が「私」学であることから自明なように、彼は常に「勝者」や「官」に対する、アゲインストの精神を忘れなかった。

そんな江原素六のヴァイブスは、麻布学園に連綿と受け継がれているように思われる。私の在学中でもそうだった。日常的に意識するかは別として、彼の奏でる「自由」の旋律のようなものは、生徒間にも教師間にも、そこで過ごす私たちに通奏低音として流れていたのだ。

もう一つの事象は、いわゆる学園紛争である。〈政治の季節〉たる一九六〇年代後半、大学闘争全盛期に、一部の高校でも学生運動が勃興していたのだ。一九六九年から一九七一年にわたる二年間、麻布学園もまた紛争状態にあった。

ここで麻布が非常に珍しいケースなのは、最終的に、生徒側が学校側に全面勝利したという事実だ。それ以降、若い教師と生徒たちが中心となって、にわかに学校を率いるようになる。端的に言って、だから今でも校則もクソもないのだ。

この紛争のキーパーソンは、学園史上最大のヒール・山内一郎校長代行である。校長代行という肩書きは、彼が理事会から成り上がったゆえ、教員免許を保持していなかったことに由来するが、実質的には校長のポジションに相当する。

一九七〇年、生徒たちによる校長室の占拠や、全校集会の責任を取る形で、藤瀬五郎校長が辞任した。その後釜として就任したのが山内一郎だ。すぐさま山内は、学園の独裁者として君臨する。生徒たちに横柄に振る舞い、教員に対しても恐怖政治を敢行。異論を挟まない思想統制を敷き、学校を私物化していったのである。

むろん生徒側は黙っておらず、一九七一年の文化祭で衝突する。生徒たちによるデモに対抗して、山内は多数の警官隊を校内に投入。後夜祭は、機動隊が取り囲む中での討論集会に発展した。通常の学校運営がままならなくなったため、そこから学校全体は無期限のロックアウトに突入。校舎に入ることは許されず、授業のない状態が約四〇日間続いた。

学校としての体を成していないまま、やがて全校集会が開かれる。そこでもみくちゃになりながら、遂に山内が辞任を宣言。生徒側が勝利したのだ。後に、山内による二億五千万円の横領が発覚するという、彼の悪代官ぶりを際立たせるような、きれいなオチまでついている。

こうした歴史的な記憶から、麻布生はある理念を共有していた。それは私の在学当時、もう世間では死語に近かったかもしれぬ、学生による「自治」の遵守である。しかもそれは、決して形骸化した建前ではなく、校内のリアルな空気のうちに、未だ活きいきと浸透していた。

例えば入学して少しすると、休み時間の教室に、高校一、二年生の先輩らがどやどやと入ってくる。中一と高二では、見た目からして大人と子供くらい違うのだが、教壇に並んだ彼らから『自治白書』が配られるのだ。生徒が毎年発行しているその分厚い冊子には、麻布の自治に関する歴史的な経緯や、現在守られているもの、あるいは失われているものなどが、つまびらかに書き連ねられている。新入生にとって、この冊子を手に先輩の話へ耳を傾けるのが、例年の慣習であり、ある種のイニシエーションでもあった。

そうやって先輩風を吹かしていたのは、もっぱら文化祭実行委員会のメンバー、通称

「ブンジツ」の面々だ。麻布では、もちろん文化祭も生徒の自治をベースに催される。完全な学生主導のもと、予算委員会が予算を管理・配分し、文化祭実行委員会が中心となって運営するのだ。

もちろんそれらに無関心だったり、反感を覚えたりする生徒もいる。だが、肝心なのは、私の目には「ブンジツ」の人たちが格好よく映ったことである。自分たちの手で大規模なプロジェクトをマネジメントし、かつそれが自己表現にも結びついている、そんなイメージ。もっと言えば、オシャレで尖った先輩たちは、皆「自立」しているように感じられた。つい先日まで小学生だったガキにとって、彼らは手が届かないほど大人びて見えたのだ。こうして私は、受験勉強へ目もくれず、麻布の自治の魅力に染まっていくことになる。

一方で、先生たちとの関係には、いい意味での緊張感があった。思い出されるのは、学園紛争の名残りであろう、教師の立ち入りが禁じられた部屋の存在だ。第二応接室と第三応接室、通称「二応」と「三応」や、「チカビ」こと地下美術室が挙げられる。その壁は歴代スタッフの名前や落書きでびっしりと埋まり、常に誰かしらが溜まっていた。私たちにとって、それらの空間は観念のバリケードの内部であり、自治を体現するアジールであり、教師の目の届かぬ解放区だった。

斯様に麻布学園の「キ」は、江原素六の私学的な自由主義と、学園紛争による反体制的な自治意識、その両輪で駆動してきた。そうした流れに棹さすように、私は麻布を生きていたのである。

*

麻布の街中にも、歴史的に興味深い事象は散りばめられている。

私は数年前、西麻布交差点に面するギャラリーSNOW Contemporaryで、個展『麻布逍遥（しょうよう）』を開いた。メインを張ったのは、落語「井戸の茶碗」を参照し、屑（くず）屋の格好で麻布の道中を練り歩く映像だ。

「井戸の茶碗」は、麻布谷町に住む正直者の屑屋・清兵衛が、裏長屋の浪人と武家屋敷の勤番侍、二者間を行き来するという演目である。遊歩者である江戸の行商を現代に召喚し、自らの身体に憑依させて、「くずぅ〜」と売り声を発しながら麻布の街を散策した。

この展示で掲げたのは、「散歩はラジカルである」という提言だ。日本近代文学のパイオニア・坪内逍遥が、まさに「逍遥」と名乗ったように、芸術は、気ままに漫ろ歩くことから始まったと言って過言ではない。そもそも近代芸術の道程とは、神の裁きを失した後の人間が自我を求めて彷徨い歩く、散歩道そのものではなかったか――そうした視座は今も変わらず、私が街を歩き見る際の基準になっている。

落語で言えば、展示の中では「おかめ団子」も扱った。舞台は麻布・飯倉片町の団子屋だ。婚約相手に思い悩んだ看板娘が、深夜に庭先で首を吊ろうする。そこに、たまたま泥棒に這入った貧乏な大根屋が彼女を助け、二人が結ばれるという人情噺。その跡地は、現在フェラーリの路面店になっていて、通りの先では東京タワーが煌々と輝いている。

先述したように、古の墓場である古墳の上に立つ東京タワーは、朝鮮戦争で出た戦車の鉄屑からつくられ、もはや無用と化した電波塔だ。団子屋の娘と東京タワー、どちらにも死の匂いが漂っている。そんな場所で、麻の葉文様の真っ赤な襦袢を身にまとい、帯で首を縊ろうとしている女性の写真を撮ったのだった。

江戸と明治の差こそあれ、同じく北村透谷が、芝公園の自宅の庭で首を縊って死んだように、麻布界隈にゆかりのある文学者は数多い。

長く飯倉に住んだ島崎藤村の旧居跡は、植木坂の中途に置かれており、周辺には鼠坂や狸穴坂が延びている。その名から、かつてこの辺りが狸の出るほど鬱蒼としていたことを偲(しの)ばせる狸穴坂は、ロシア大使館の厳重な石塀を右手に、今でも長くゆるやかな、趣のある坂道となっている。

六本木一丁目駅付近、往時の麻布市兵衛町であり、現在は泉ガーデンとなっている街区の一角には、永井荷風の住居「偏奇館(へんきかん)」があった。名称は、ペンキ塗りの洋館をもじったもの。この家から、よく墨田区の玉の井へ散歩に出たというから、流石、荷風は山の手と下町を往復し、双方の持ち味を堪能していたことになる。

それら文人たちの集いも麻布で催された。一九〇〇年創業のフランス料理店・龍土軒にて、柳田國男や国木田独歩、田山花袋、島崎藤村らが顔を連ねた「龍土会」がそれだ。「自然主義は龍土軒の灰皿から起こった」と言われるくらい、談論風発のサロンだったらしい。やがて、今の東京ミッドタウンに陸軍の駐屯地ができてから、龍土軒には軍人客が増えていく。なんと、二・二六事件の首謀者たちも溜まり場にしていたそうだ。

そのエリアは戦後に米軍の敷地となって、現在に至る六本木の街並みの基盤を形成したが、麻布一帯には、それよりはるか以前からたくさんの寺社がある。

親鸞が挿した杖から芽吹いたと伝わる、逆さイチョウの生えた古刹・善福寺や、件のがま池のカエルが祀られた麻布十番稲荷。また広尾稲荷神社には、意外にも高橋由一が水墨で描いた、堂々たる龍の天井画が残されている。かと思うと、麻布学園からすぐ近くにある小さな寺・正光院は、同級生である智也の実家だった。何度か泊めてもらったこともあるが、智也は次男ゆえに寺を継がないスタンスで、アメフト部のキャプテンを務めながらバイクを乗り回しているような奴だった。

また、丘があるのだから当然だが、麻布には崖も多い。六本木で言えば、外苑東通りが尾根筋になっていて、その左右は谷戸(やと)と呼ばれる崖地である。取り壊しの決まったロアビルの向かい、屋上に絶叫マシーンの残骸が放置されたドン・キホーテの、すぐ裏手もそうだ。大通りから一歩入ると、そこは急勾配。閻魔坂なる物々しい名の坂に沿って、茫洋と墓地が広がっている。

そうした崖地は、大抵が再開発の対象となる運命に晒されている。前衛美術家の赤瀬川原平が、『超芸術トマソン』で「ビルに沈む町」として書きつけたのも、麻布谷町だった。「井戸の茶碗」の屑屋が住んでいた、あの谷町である。

路上観察をしていた赤瀬川一行は、ふと見つけた谷町に吸い込まれていく。そこは、全域が森ビルによって買い占められ、立ち退きを迫られている町だった。その中に〝純粋煙突〟を発見する。既に建物は取り壊され、根本をバラックで囲まれた、用途なき銭湯の煙突が、ポツンと一本だけ残されていたのだ。

赤瀬川も書いているように、その後すぐ煙突は解体され、谷町は全体が更地になった。追って、その地に建設されたのが「アークヒルズ」である。一九八六年竣工のそれは、日本で初めての「ヒルズ」だった。

だが、よく考えてみてほしい。その複合施設に冠された「ヒルズ」とは、むろん「丘」を意味する。しかし、その地は江戸の時分より「谷町」だった。そう、ここにはある巧妙な偽装が施されている。「谷」につくったビル群を「丘」と名指すこと――その詐称の上に「ヒルズ」は始まっているのだ。ここでは丘と谷がひっくり返ってしまっている。であるとすれば、本来、麻布谷町にあるこの施設は、「アークヒルズ」ではなく「アークヴァレーズ」と呼ばれるべきではなかったか？

不思議なことに、赤瀬川が見た煙突とほぼ同位置、アークヒルズ内のサントリーホール脇には、今も別の煙突が立っている。『麻布逍遥』では、その新しい煙突を撮影した写真を出品したが、展覧会のキービジュアルとして用いたのは、アークヒルズの近く、麻布台にある我善坊谷だった。

麻布郵便局と霊友会釈迦殿に挟まれた路地を行くと、すぐに崖地へと突き当たる。その崖下に残された、昔ながらの街並みが我善坊谷という一画だ。とはいえ、私が制作のため踏み込んだ折には、既にほとんど住人はおらず、至極閑散としていた。どの門戸にも金網やチェーンが掛けられ、至る所に「立入厳禁　森ビル㈱」と書かれた看板が散見される。向こうの空を見上げると、ガラス張りの高層ビルが、もうすぐそこまで迫ってきていた。

この町も程なくして「ヒルズ」に沈むのだろう。

そう思いながら、私は屑屋の格好で我善坊谷を逍遥した。開発の網の目からかろうじて零れ落ちた、風景の屑を拾い集めるために。

*

私が麻布学園に入学しようと思ったのは、文化祭に心を奪われたからだ。中学受験を考えていた小五のゴールデンウィーク、訪れた麻布の文化祭で目にしたのは、色とりどりの髪型やファッション、そして並々ならぬ活気だった。殊に惹かれたのは、中庭で開催されていたイベントだ。『Wild Style』みたくグラフィティの描かれたステージ上で、生徒たちによる出し物が催される。その、ほとんどカルチャーショックと言っていい祝祭性を目にした時、私はこの学校の文化祭に感染したのだ。

他に見学していた私立校の文化祭は、研究成果を発表した展示がメインだったりと、どこか生真面目な秩序が感じられた。しかし、麻布の文化祭は過剰なまでに荒唐無稽で、いわば最も自由を謳歌しているように見えたのである。

そうして確固たる志望校が決まると、私はあの文化祭をやりたい一心で受験勉強に励み、合格を手にした。おそらく当時の脳細胞は、私の人生で一番フレッシュだったはずだ。まだ思春期の手前、酒も煙草もセックスも知らず、煩悩のないすっきりとした心持ちで勉強に集中できた。

入学するとすぐ、硬式テニス部に入る。中庭のコートでテニスに興じる先輩たちが優雅に見えたから、という単純な理由で。ただ、実際は厳しい体育会系で、球技が不得意だと気づいたこともあり、中三の秋に退部した。代わりにのめり込んでいったのは、やはり文化祭だ。中一から高二まで、ずっと中庭イベントを司る部門に所属し、最終的には部門長を務める。かつて仰ぎ見ていた、あの「ブンジツ」の一員になれたわけだ。

ふだんの授業では、皆おおかた机に突っ伏して居眠りしていた。決して教師陣の授業がつまらなかったわけではない。むしろ、ほとんど規定の教科書を使わずに、オリジナルのプリントを用いた、意欲的な授業だったはずだ。だがその熱意を上回るほど、私たちは徹底して怠惰だった。その背後には、受験の燃え尽き症候群や、自分たちの学力への傲(おご)りがあったのだと思う。

一方で、教員たちものんびりしたものだった。放任主義というか、勉強をしたくないのならご自由にどうぞ、という牧歌的な雰囲気が漂っている。私はその湯船に肩まで浸かって、六年間ぬくぬくと微睡(まどろ)んでいたから、必然、卒業前後にしわ寄せがきた。でも、別に後悔はしていない。それは自分で選んだ自由の代償であり、至極まっとうな「自己責任」と言って差し支えなかったからだ。

もちろん、定期テストは決まって一夜漬けである。典型的な理系音痴で、数学など全く手につかない。だからよく試験では、解答用紙の表(おもて)に大きくバツをつけ、裏面の余白に、時事評論のような文章を書き殴って提出した。先生は、それでギリギリ赤点にならない点数をくれたのだ。

つまり、とうに私はエリートコースからドロップアウトしていた。目の前に広がる空白を好きに埋めていくこと。ただそれだけに専念していたのである。


ところで戦前、講演に来た東條英機が開口一番「麻布中学の生徒はお坊ちゃんである」と断じたらしい。たしかに「お坊ちゃん」は少なくない。中でも、度を越した金持ちは見ていて気持ちいいくらいだ。

同級生でひときわボンボンだったのは、やはり小田原の開業医の一人息子・ゴージだろう。毎日地元から麻布まで新幹線通学を敢行。しかも、別宅として神谷町に一軒家を貸し与えられていた。彼ももう立派な医者になったのだろうか。運動会でクーラーボックスいっぱいのジュースを、なぜか個人の負担で差し入れていたように、今でも羽振りよくあってほしいものだ。

またOBには、政治や行政、学問に携わる者が多い。同時に、表現者も散見される。フランキー堺、小沢昭一、倉本聰などの演劇人。吉行淳之介、北杜夫、安部譲二をはじめとする小説家。ジャズの山下洋輔や若きラッパーTohjiといったミュージシャン。美術家では、日本で初めてモヒカン刈りにした男、ギューチャンこと篠原有司男がいる。ネオ・ダダイズム・オルガナイザーズを率いた、ボクシング・ペインティングを代名詞とするアーティストだ。

麻布卒の表現者たちは、洒脱であると共に危険な匂いを放ち、その知性の根っこには、権力への抵抗を意味するレヴェルが垣間見える。にもかかわらず、皆どこか隙があって、それが愛嬌になっている。そうした先輩たちに私は強く憧れた。もちろん、綺羅星のような彼らには遠く及ばなかろうが、しかし私も、何か表現する者になりたい、そう漠然と考えていたのだと思う。

そんな文化的と言い得る空気の中、交わされるコミュニケーションはスノッブだった。教養主義を土台として、ただ勉強ができるだけでは話にならず、その上でどんな個性を持っているか、誰もが日々突きつけられるような空間。他方で男子校ということもあってか、上下関係は強固だった。在学中も卒業後も、何人の先輩にお世話になり、何人の後輩に甘えてきたかわからない。

もとより同級生たちとは、たくさんの時間を共有した。親友と言っていい奴の一人に伊藤がいる。頭の切れるツッコミ肌で、私はしょっちゅう彼に弄(イジ)られており、それはそれで心地いい関係性だった。ただ、一度だけ伊藤に泣かされたことがある。

たしか中学三年の授業中、私はプリントの切れ端に落書きをした。それは、漫画『ワンピース』のキャラクターである三刀流の使い手ゾロが、両手と口元に刀を携えた状態で、ヒロインであるナミに隆起した陰茎を咥(くわ)えられながら「よ、四刀流……」と呟いているイラストだった。今こうして自分で書き出していて、迫り来る猛烈な虚しさに飲み込まれそうになるが、なにはともあれ、その紙を伊藤の席に回すと、一笑い起きてその場は終わった。だが、翌日になって彼が言うのである。

「昨日のゾロの絵だけどさ」

「ああ、四刀流の」

「あの紙、昨日お前の弁当箱に入れておいたんだけど、どうだった？」

「え。弁当箱って、食べ終わった後の弁当箱に？」

「そう。まさか、気づかなかったのか……」

すぐさま記憶を遡ると、その細工にまるで気づかず帰宅した私は、母親へ何事もなく空の弁当箱、いや、息子の描いた猥画入りの弁当箱を、習慣的に差し出していた。そうか、だから今朝、俺に弁当箱を手渡す母さんはどこかぎこちなかったのか……。名状し難い羞恥に襲われ、血の気が引いた私は、そんなのわかるわけないだろ、あんまりだ、と涙ながらに訴えたのだった。その有様を見て、奴が腹を抱えて笑っていた光景をよく覚えている。むろん私はその件について、まだ母親に言質を取れていない。

浮かんでは消える泡のように、脳裏をかすめる無数のエピソードを全て書き留めることはできない。結局、中学高校を通して最も熱中したのは文化祭だったのだろう。私はほとんど、その中毒に陥っていたと言っていい。しかも、年に一度の開催日のみならず、文化祭準備という名目において、一年中その非日常的な営みに淫することができたのだ。

私たちは、時間と労力の無意味な浪費という、祭りの根本原理に則って行動する。文化祭シーズンになると、髪型や髪色を変えるのが慣例化していた。私もまたスタッフジャンパーを着込み、逆モヒカンの金髪にして、必死でイキがった。そうして仲間と有栖川公園の広場に溜まっては、夜毎街へと繰り出していく。

もちろん、今振り返ればそれは、向こう見ずで恥ずかしい若気の至りだったかもしれない。しかし、とにかくそんなハレの日々に、本気で身を窶（やつ）していたのは確かなのだ。

それは無限に感じられるような、終わりなき祝祭だった。

*

《ママン》の股ぐらをくぐって、六本木ヒルズを後にする。

時空のねじれを少しずつほぐすように、首都高の日陰になった大通りを歩く。行き先の当てはない。ただ、病床に伏した現下の東京を、この足で踏みなし、この目で見ておきたいだけだ……そう思ったのも束の間、六本木交差点に差し掛かると、自然と足は我善坊谷へ向いていた。あそこに行けば、気が狂いかけているこの街を見つめ直せるような気がしたから。

交差点を右に曲がり、東京タワーを正面に見据えて、ドン・キホーテやおかめ団子跡を抜け、飯倉片町を越える。狸穴坂に隣接するロシア大使館、道路を挟んだその向かい辺りで、左手の路地に折れた。この先に、崖下を一望できる三年坂がある。

だが、坂の手前まで来て、ようやく事態を把握した。そこには、道幅いっぱいの仮囲いが嵌め込まれていたのだ。フェンスの前には警備員が立っていて、その先に進むことも、中を覗くこともできない。そう、既に開発は始まっていた。張り出されたパネルには「虎ノ門・麻布台地区第一種市街地再開発事業施設建築物等新築工事」の文言。設計者は、言うまでもなく森ビルである。

気持ちを落ち着けて、ひとまず来た道を引き返し、谷の外周を回ることにする。飯倉の交差点に戻り、麻布通りを北へ。路傍には赤いパイロンとトラ柄のバーが続く。行合坂に至ってようやく視界が開けると、そこで目にしたのは、街が丸ごと消滅した我善坊谷だった。

つい数年前まであった崖下の集落は、全て土に埋まってしまっている。その盛土の丘の上に、重機が軋み、足場が組まれて、セメントが流し込まれつつあった。屑屋になって眺め歩いた街並みは、もうそこにない。

やはりこの町も沈んでしまった。かつての麻布谷町がそうであったように。

一生終わらないと思っていた文化祭は、高二の春、当たり前のように終わりを迎えた。その年の秋になると、運動会も終わり、部活動も引退になって、大学受験一色のムードになる。祭りの後、友人たちの多くは実にスムーズに受験生へと転身を遂げた。たしかに例年、学年の半数近くが浪人するとはいえ、しかし私は、それこそ地に足がつかなかった。その地に足のつかなさは、惰性で通った代々木ゼミナールの休み時間に、教壇へ上がって一発芸をするほど、目も当てられないレベルだったのである。

私は相変わらず、麻布学園で味わった「自由」に苛(さいな)まれ続けている。それはちょっとみっともないくらいの執着かもしれない。でも、どうしたってあの学校に魅了され、影響されたことは、私の中で疑い得ないのだ。

文化祭が終わった時、私は日常に着地できなかった。でもここだけの話、未だにうまく着地できていないままだ。ずっと文化祭の前日をループする映画『ビューティフル・ドリーマー』みたいに、私は今も麻布の麻に酔いながら、終わらない祭りを勝手に続けている。

——麻布学園のグラウンド裏手にも谷地がある。本光寺の敷地として再開発を免れている、昭和の遺跡みたいな街。坂の上から見下ろすそこは、小さな家屋が密集し、向こうの空には六本木ヒルズが突き立った、ＳＦのような風景。この谷もいつか埋め立てられて丘になり、その丘の上には、新たなヒルズ、いや、ヴァレーズが建つだろう。そうして東京は空っぽになって、最後に、丘の上のヴァレーズだけが残されるのだ。……

六本木ヒルズを去り際、下りのエスカレーターから目端にとらえた電子時計は、五輪開催までの時間を着実に縮めていた。刻一刻と時を刻む、どこに辿り着くかも不明瞭なカウントダウン。東京はその時刻の向かう先へと止まることなく加速する、危うい脱線を繰り返しながら。そして病は不可逆に進行していく。感染症も、この都市を蝕むILLな病も。

第六号

田園都市の憂鬱——港北ニュータウン

焼かれるような痛みが先刻から断続的に皮膚を襲っていた。高温に熱せられたペンでグリグリと肌を抉られているみたいだ。脳内では火花が散り、左の鎖骨下部はじりじりと疼き続けている。ベッドに仰向けで横たわる私の視界に入るのは、壁に掛かったシルクスクリーン風のマリリン・モンローと、たくさんの図案の下絵、あとは蛍光灯の点る天井だ。針が触れる度に肉がピクリと引き攣るのを抑えることができない。

「痛みますか？」

と、彫師が聞いてくる。

「はい……でも、耐えられないほどではないです。なんというか、こういう感じの痛みなんですね」

私がそう答えると、彼女はハハハと笑った。両腕から胸元にかけて花柄の刺青が入った女性彫師は、医療行為のように淡々と施術を進めていく。

ここは港北ニュータウンのタトゥースタジオだった。センター南にあるショッピングモールから目と鼻の先。一見するとただの民家だが、二階のベランダにはゴシック体で大きく「Tattoo」と書かれた垂幕を掲げている。ウェブで検索して知るまで、こんな住宅街に刺青屋があるなんて思いもよらなかった。

以前に一度、このスタジオへは打ち合わせに来ている。担当の彫師にイメージを伝えて図柄の方向性を決め、その話し合いを踏まえて、メールでやりとりしながらデザインを詰めていくのだ。最終的に、選んだフォントに彼女が線を足し引きし、オリジナルの下絵が完成した。そして今、現にそれを彫られているのである。

手順としては、まず上裸になり、部位に下絵を当ててサイズや位置を微調整する。それらが定まったら、剃毛と消毒を済ませ、ステンシルシートでデザインを肌に転写。そうしていよいよ、マシンのニードルから表皮にインクを染み込ませていくことになる。

これが私のファースト・タトゥーだった。彫っているのは、スクリプトと呼ばれる文字のタトゥーで、その文言は〝New Town〟。そう、自身の「根拠地」を刻むのだ。

＊

港北ニュータウンは私の出身地だ。三歳から一二歳まで、横浜市都筑区にあるマンションに住んでいたから、いわゆる故郷ということになる。

生まれたのは、横浜市南部に位置する海沿いの街・金沢区富岡の団地らしいが、ほとんど記憶にない。そこから一家で港北に移り、私が中学一年の時に田園都市線たまプラーザ駅の一軒家に引っ越すまで、横浜市営地下鉄の中川駅周辺で過ごした。だから、幼稚園や小学校といった子供の頃の思い出は、港北ニュータウンに詰まっている。

団地、マンション、一軒家と、東京へ漸近しながら横浜郊外を巡り、住む地域と物件のグレードを上げていった私の実家は、典型的な核家族だった。サラリーマンの父、専業主婦の母、長男の私と三つ下の妹という四人家族。両親は、そんな規範的な家族像を当たり前に営めた、最後の世代だった気もする。

アニメーターを経て、ゲーム会社社員から美術大学の教授に収まった父は、この春ちょうど定年で退官を迎えた。母は妹が中学生になって以降パートに従事していたが、いつからか介護職の正規職員として働いている。妹はどこかの会社に就職して今は川崎市に住んでいるそうだ。未だにフラフラしているのは私だけかもしれない。

新築で入居したらしい港北のマンションは、九棟から成る大規模なもので、私たち家族の住まいはC棟の一〇階。南向きのベランダからは、できたばかりのみなとみらいに、ランドマークタワーが小さく見えた。


ニュータウンと言えば、かつては洗練されたライフスタイルの象徴だったはずだ。その一方で、ずっと疎外論的に語られてきた場所でもある。曰く、均質でのっぺりとした、人間性を剝奪する人工的な空間云々。さらに近年では、建物の老朽化や住民の高齢化、人口の減少など、様々な課題が山積している地域も多い。その意味で私にとっても、そこは両義的な空間だった。誰もが自らの地元に対して抱くように、私もまた、ニュータウンへの〈愛憎〉を抱えているのである。

特に、たまプラーザに引っ越してから、私は地元に対して親しみを持てないばかりか、どこか疎んじてすらいた。毎日バスと電車を乗り継いで麻布に通い、その近辺で遊んでいたから、友人もおらず、溜まる場所もない地元は、いわば私の中で空洞化していたのだ。何より、都内の繁華街と比較した際、思春期の一〇代にとって、ニュータウンはいかにもつまらなかった。例えば空間に陰影が存在しない。事実、東急の開発した多摩田園都市の中核であるその街からは、丁寧にノイズが除去されていた。

しかし、幼少期を送った港北ニュータウンには、そうした抵抗感が薄い。それは港北が刺激的だったというより、自身が子供だった部分が大きいだろう。もちろん、その街並みは至極つるりとしてフラットだった。だが、子供ならではの眼差しを通じて、周囲を勝手に読み替え、遊戯的に再構築し、起伏に富んだ空間として経験していたのである。

例えばマンション棟内での鬼ごっこは、なかなかスリリングな遊びだった。時に住人に注意されることはあったものの、これが楽しい。エレベーターと階段を両方使ってフェイントをかけ合うのだが、とにかく戦略性が高いのだ。また、共同ゴミ捨て場をフィールドとしたケイドロもよくやった。大型のゴミ箱にドンと飛び乗って、ゴミ箱からゴミ箱へ、浮き島を渡るようにぴょんぴょん走る。さながらゲームのダンジョンである。

あるいは、遊びとも言えないが、一階の住宅のベランダ、その出っ張りの下の隙間に猫みたく潜り込む。実際、そこで猫と出会ったりもする。もしくは、しっかりと剪定された茂みと茂みの間にも、小さい身体を滑り込ませた。一見とっかかりのないニュータウンの圏内でも、こうして分け入れば綻(ほころ)びを見出せる。子供はどこであれ、空間の余白を敏感に嗅ぎつけて、そこへ無目的に介入していくのだ。

共に駆け回るのは、同じマンションや近隣に住む同世代の友達だった。多くが幼稚園も小学校も一緒で、気心は知れている。それは恵まれた環境だったに違いないが、言ってみれば同質的でもあった。ただ、少しの〈混住〉すら無かったというわけではない。

親友の一人だったナオヤくん一家は、私たち家族のように、ニュータウン建設後に移り住んできた「新住民」と異なり、昔からその地に根を下ろす「旧住民」だった。公園の先の戸建てが並ぶエリアに、どっしり構えた瓦屋根の一軒家。隣地には、おじいさんとおばあさんの耕す畑がある。ご両親は警察官で、お姉ちゃんもいるし、ゴールデンレトリバーも飼っていた。その大家族の雰囲気が、私には珍しくも羨ましくもあったのだ。

そういえば、庭先に建つビニールハウスの中には、なぜか常にエロ本が落ちていた。性の意識が芽生える頃、一緒になってそのガサガサのページを繰った覚えがある。

駅から少し離れたアパートに住むナカちゃんは、小学生ながらに、少し不良の雰囲気をまとっていた。母子家庭で、家に遊びに行くといつも誰もいない。テレビゲームをやっていると、この前お兄ちゃんと酒を飲んだんだ、などと言う。そういうところがどこか格好よく見えたものだ。

床屋の子もいたし、ケーキ屋の子もいた。そのくらいの多様性はあった。が、あくまで友達の多くはサラリーマン家庭であり、中流と言おうか、世代的・経済的に似たり寄ったりの人たちで構成されていたのは確かだろう。平成の前半、まだバブルの余韻が残る九〇年代の話である。

こうして子供なりに市街のコードを脱臼させていたのだが、前提として、ニュータウンには生活に必要なものが全て揃っていた。住宅、街路、公園、学校、病院、公民館、スーパーマーケット、レストラン、学習塾、書店……習い事で通ったピアノの先生のお屋敷も、スイミングスクールも、少年サッカークラブも、基本的にその内部で事足りる。私たちは、ニュータウンで何不自由なく生を全うすることができたのだ。

最寄りの公園は、広々とした敷地を持つ山崎公園だった。中心には、大きなすり鉢型の広場がある。四つ葉のクローバーを探したのも、初めて自転車に乗ったのも、よく父とキャッチボールをしたのもここだ。隣接するのは、屋外型の市民プールと噴水の出る水場。夏休みには水着とバスタオルを持って、毎日のように足を運んだ。

よく笹舟を流した細流(せせらぎ)に沿って坂を下ると、なかなかに立派な池がある。池の端にはフナやブルーギルを狙う釣り人が構えていた。私はブラックバスを釣ろうと、一生懸命ルアーを投げ込んでいた時期があったが、結局一匹も釣れたことはない。

ただ、池の横に細長いドブがあり、そこではアメリカザリガニが獲れた。丸太と丸太の溝に手を突っ込んで、泥濘（でいねい）を手探りですくうと、大概ザリガニが眠っている。そこでうまくハサミを避けながら、甲を鷲掴みにして引っ張り出すのだ。季節によっては、バケツいっぱいのザリガニが獲れることもある。泥だらけの格好でそれを家に持ち帰り、「こんなにたくさんどうするの」と母を困らせもした。

このように、港北は自然に恵まれている。それもそのはずだろう。山深い丘陵地を切り拓いてできた空白地帯に、計画的に造成されるのがニュータウンだからだ。さりとて、それは決して〈手つかずの自然〉ではあり得ない。いくらワイルドに見えようと、ニュータウンの自然は、あえて人為的に残された〈再帰的な自然〉に過ぎないのである。

それでも通称「裏山」には、整備されているとはいえ、随分と豊かな自然環境が保全されていた。通学していた小学校の真裏にあって、樹木が鬱蒼と茂っている。生物も多く、カブトムシはいないもののクワガタが採集できた。

一本だけ、小学生男子の間で代々受け継がれている木があった。初夏、「秘密の木」と呼びならわされるそのコナラを訪ねると、溢れ出る樹液を求めて、常にカナブンやスズメバチが集っている。その木の根本に重なる枯葉を払い除けたり、腐葉土をちょっと掘り返したりするだけで、コクワガタが三匹も四匹も出てくるのだ。

「秘密」と言えば、裏山に何度か〝秘密基地〟をつくった。適当な藪の中を開拓し、拾ってきた竹の切れ端や木材を敷いた、それなりに立派な空間だ。数名の友人間のみで秘密を共有し、放課後にその野外の室内へ忍び込む。つくるプロセスから完成形、そこで過ごした時間まで、あれほど心が躍った体験は他にない。

そんな当時の行動範囲は、中川のみならず、自転車で足を延ばせるセンター北と南まで及んだ。センター北・南は、その名の通り港北ニュータウンの中心地。横浜市北東部における副都心でもあり、多くの商業施設が集まるエリアである。

センター南はそれ自体がショッピングモールのような街だ。週末にしばしば家族と車で出かける。街の顔である港北TOKYU S.C.には、子供心に何でもあった。オモチャみたいな建物の中、フードコートで食事をして、ゲームセンターで時間を潰し、シネマコンプレックスで『ゴジラ』や『ポケモン』を見る。そこはニューファミリーの休暇に最適化された空間だった。

北と南の間には、ホームセンターや家電量販店に混じって歴史博物館がある。縄文土器や集落跡が展示されており、小学校の社会科見学で行って、火起こし体験などをした。ニュータウンには、こうして発掘品を保管するミュージアムの類が設置されているところが少なくない。開発に際し山林を掘り崩すと、歴史的な遺物が往々にして出土されるからだ。

すぐ側の交差点の一角には、キングコングを思わせる巨大なゴリラの彫像がある。「都筑まもる君」という名を冠されたそれは、右の拳を突き上げ、牙をむいた状態で、なぜか交通安全を声高に訴えていた。行政が設置したのだろうが、彼の実質的な存在意義は未だ判然としない。ただ、このキャラクターは地域で知らない人はおらず、意外と都筑区民に愛されていたことが伺える。

センター北のシンボルとなっていたのはモザイクモール港北だ。そのモール屋上には立派な観覧車が併設されていて、たしかオープン当初に一度だけ乗ったと思う。家のベランダからも見えるその観覧車は、まるで街全体を遊園地に見立てるように、いつもぐるぐると港北の空を回っていた。

なるほど、ニュータウンは遊園地じみていた。書き割り的な街並みを有する虚構の都市――そこはディズニーランドみたいな一種のテーマパークなのかもしれなかった。

＊

小説家・佐藤春夫の作品に『田園の憂鬱』がある。大正時代に発表された小説だ。

そこには、都会の喧騒を逃れ、一家で農村の一隅に身を寄せた青年の、病的な心象風景が描かれている。物語の舞台は、武蔵野台地の南端に位置する鶴見川ほとりの丘陵地。現在の田園都市線市が尾駅すぐ側である。つまり、かつて素朴な「田園」が広がっていた一帯は、今や東急線沿線の「田園都市」となっているのだ。

春夫の時代とは一〇〇年近く隔たるが、同じく私も、「田園都市」に対してある「憂鬱」を湛えていた。先述した通り、それはたまプラーザに引っ越した中学生の頃から始まっている。

そもそも「田園都市」とは、社会改良家のエベネザー・ハワードが、『明日の田園都市』で提唱した都市形態だ。一九世紀末のイギリスで、劣悪な労働環境を改善すべく企図されたその概念は、〈都市〉と〈農村〉の「結婚」であり、双方の利点を併せ持つ

「第三の選択」として示された。だから原義としての〈田園都市〉は、郊外に建設される、自律した職住近接型の都市というビジョンで描出されている。

ただ、その理念は日本に輸入されると共にローカライズされた。結果この国の「田園都市」は、大都市に付随した単なる郊外住宅地、すなわち「ニュータウン」として開発されていくことになる。

中でも多摩田園都市は、渋沢栄一の田園都市株式会社を母体に、東急電鉄が開発したニュータウンだ。その建設は、人口や経済が右肩上がりだった時代の要請でもあったろう。より多くの住宅を供給すべく、東京がスプロール状に拡大していくその先に、「第四の山の手」とも呼ばれる多摩エリアがあったのだ。

そうした都市の一つが、たまプラーザ駅周辺だった。なにしろ「プラーザ」である。八〇年代、ドラマ『金曜日の妻たちへ』のロケ地になるずっと前から、ある種のトレンディさをまとっていたということだろうか。

言うまでもなく、たまプラーザは東急のつくった街だ。東急の電車に乗降し、東急百貨店で買い物をして、東急バスで東急の造成した住宅地に帰る。まるで映画『ゼイリブ』のサングラス越しに見るような、画一的な世界。象徴的だと感じたのは、駅から東京ディズニーリゾート直行のバスが出ていること。それはフェイクの街から街へ、無菌状態でワープする経験である。そこには一切の〈外部〉が存在しない。その点で、たまプラーザもディズニーランドも、本質的には入れ替え可能な環境だったとすら思う。

もともと引っ越す以前から、中学受験の大手進学塾に通うため、私は三年余りたまプラーザに出向いていた。中川駅から一駅のあざみ野で乗り換え、田園都市線でまた一駅。一丁前に回数券を持って、臆面もなく「N」と縫われたバッグを背負い、マクドナルドやプラモデル屋に寄り道しながら通塾路を行く。地元の小学校では、かなり多くの生徒が中学受験を選択していたはずだ。そういう上昇志向というか、教育へのなりふりかまわぬ投資と、ニュータウン独特の空気感とは、私の中で切っても切れない関係にある。

受験が一段落ついたところで、そのたまプラーザへと一家で移った。当時の駅舎は、まだ木造の可愛らしいものだったが、今では吹き抜けの鉄骨造りで、空港みたいになっている。再開発に伴い、駅周辺も「たまプラーザテラス」なるモールへと変貌を遂げた。

家までは駅直結の地下ターミナルから、バスで一五分ほど揺られる必要がある。車窓に映るのは整然たる田園都市だ。潤沢な緑と、西洋風の一軒家が居並ぶ景色を眺めながら、陽光の差す坂の多い街路を上り下りする。そうやって辿り着くのが、美しが丘というつくりものめいた地名に建つ、こぢんまりした一軒家。最寄りのスーパーは成城石井で、近所には桜アベニューという通りがあった。

そういえば、以前実家へ帰った折、駅近くに建つマンション広告に、「美の頂へ。THE TOP of BEAUTY」と載っているチラシを見つけた。美しが丘にも言えるが、おこがましくも「美」の末席を汚す一人の美術家として、そう易々と、高らかに「美の頂」を宣言されては困る、と苦笑したのを覚えている。

実家の外観はまるでケーキだった。その区画の家並みは同じテイストで統一されていて、クリスマスシーズンになると、各ファサードに色とりどりのイルミネーションが飾られる。そうした小綺麗な通りの端っこに私の家はあり、隣は公園で、裏は木立だった。だから別荘地みたく静かで、小鳥のさえずりか木々のざわめきくらいしか聞こえない。猫の額ほどの庭には木製の椅子とテーブルが置いてあり、そこでたまに読書をする。『田園の憂鬱』の副題「病める薔薇」ではないが、周りにはいつも母の育てる花々が咲き誇っていた。今思えば、ガーデニングは母のささやかな展覧会だったのだ。

おそらく、それは幸福な家庭の一コマだったに違いない。でも、私は全然もの足りなかった。場末や雑踏の孕む混濁はもちろん、そこには深い奥ゆきが感じられなかったからだ。

ニュータウンには歴史がないから、地域社会がない。大きなお祭りもなければ、ヤンキーもいなかった。ヴァナキュラーなき風土に、ただ各家庭が根なし草として生えている。観葉植物の入ったプランターみたいなそこに、私は曰く言い難い息苦しさを感じていた。ティーンの無秩序なエネルギーの捌(は)け口は、堅牢なニュータウンの内部には見出せなかったのである。

ただ、あくまでそれが私のリアルだった。その薄っぺらさも含め、ニュータウンという土地を引き受けて生きていくしかなかったのだ。

大学入学と共に実家からは無事脱出できた。

その後は渋谷に始まり、中野坂上、目白、西台、町屋と、東京を移ろいながら生活を送っている。ただ、「根拠地」たるニュータウンは、いつしか現代美術に取り組みだした私にとって、実存的なテーマとなった。〈愛憎〉にまみれたこの凡庸な地元(フッド)を私はどのようにリプレゼントできるだろうか？　斯様な問いのもと、約五年の月日をかけて三本のシリーズにまとめたのが、映像作品《バーリ・トゥード in ニュータウン》だ。

この映像は、二人のレスラーと一人のレフリーが、ニュータウンの街中で延々と路上プロレスを繰り広げるという作品である。下敷きにしたのは、中学生の頃に見た安ビデオ『バーリ・トゥード in 商店街！』。そのＶＨＳは、とある団地内の商店街を滅茶苦茶に破壊しながら、インディレスラーたちが肉体を痛めつけ合う代物だった。だが、私はそこに非日常の輝きを見出してしまう。なぜなら、彼らは強固な日常の風景を、まさしく破壊していたからだ。

そのビデオから受けた衝撃を照射するように、ニュータウンの日常を攪乱すべく、私たちはプロレスを敢行した。佐藤栄祐レフリーに裁かれながら、私が扮するマスクド・ニュータウンと、悪役レスラーのバビロン石田とで、時間無制限の一本勝負を闘ったのである。

ロケーションとしては、第一作が多摩田園都市の美しが丘周辺で、次が関東最大規模を誇る多摩ニュータウン、最後に日本で最も古いニュータウンである大阪の千里ニュータウンへと至る。このようにフィールドを転々としながら、プロレスを通して、ニュータウンの風景に介入することを試みた。私たちは目の前の敵と対峙しながら、同時に、平穏で無機質なその風景と格闘していたのだ。

とはいえ、いくら必死に試合を展開しても、ニュータウンの日常が壊れることはなかった。むしろ、その日常の分厚さが逆説的に浮き彫りになったくらいだ。

しかし、多摩ニュータウンのリサーチを始めた頃から、自身の心象に変化が生じ始める。あれだけ平坦に見えたニュータウンも、プロレスを実践するリングとして捉え返すとおもしろい。アスファルトは固いマット、電柱や街路樹はコーナーポスト、公園の遊具は凶器として立ち現れる。のたうちまわって受け身を取り、物理的に街へ肉体をぶつけることで、その微細な凸凹に気づくことが増えてきた。すなわち、ニュータウンの内部にプロレス空間を〈発見〉したのだ。

なだらかな坂道で殴り合い、サンリオピューロランド前でアルゼンチン・バックブリーカーを極められ、《太陽の塔》を背にダイビング・ボディ・プレスを放つ。そうやって浮かび上がるそれぞれのニュータウンは、たしかに表層的にはほとんど変わらない。でも、やはり明確な差異を孕んでいた。何を隠そう、それらは各々が異なる理念や歴史、空間を持っていたからだ。

こうして、私は徐々にニュータウンとのチューニングを合わせていった。それは幼少期の記憶と思春期の空洞とを、現在地から紡ぎ直すような営みだったろう。父親と長年の遺恨を解消した志賀直哉ではないが、私はニュータウンと少しずつ「和解」していったのである。

　実際にそれはどこかで、実の父に対する屈折した感情とも重なって思えた。そんな〈父としてのニュータウン〉を、今ならもう、私は素直に愛せるような気がするのだ。

*

　夢中で痛みに耐えていたら一時間弱で施術は終わった。

　どうやら何事もなくタトゥーは彫り上がったようだ。鏡を見ると、針を刺した皮膚がやや赤らんでいるが、黒のインクで描かれた鋭いストロークは左胸に翻っている。細部に至るまでタイトなライン。初めての刺青は、申し分ない出来栄えだった。

　患部にワセリンを塗ってガーゼを貼る。数日後には瘡蓋(かさぶた)になるけど、しっかり保湿を欠かさなければ一週間程度で肌に馴染むはずよ、と彫師にアフターケアの説明を受けてからスタジオを出た。眼前にはレンガ敷きの落ち着いた並木道が延びている。そうだ、ここはセンター南なのだった。

駐車場の隅で煙草を一本吸い、動線通り東急の巨大なモールに飲み込まれる。昔よく行ったゲームセンターや映画館を回ってみると、いずれも胸中に色褪せた郷愁を喚起させた。人はどこであれ、過去に交わった街に対してノスタルジーを覚えるのだろうか。

そのまま駅を素通りして歩を進め、都筑まもる君の勇姿を拝んでからセンター北へ。あの頃と変わることなく、駅舎上のショッピングセンター・あいたいや、高架下のペットショップ・ペットエコはそこにある。一方で、ノースポート・モールをはじめ、これでもかと新しい商業施設が林立していた。その新陳代謝の早さに軽い眩暈を感じながら、かねてより知るモザイクモール港北に逃げるようにして潜り込む。例の、観覧車を設えたセンター北のシンボルだ。

家族連れで賑わうフードコートにて、なぜか一人びっくりドンキーのハンバーグランチを食べ終えると、不意に観覧車に乗ってみようと思い立った。

さっそくエスカレーターを乗り継ぎ入口まで向かう。一人だと訝(いぶか)しがられる気もしたが、ここまで来たら関係ない。並んでいる人もいないし値段も安かったから、手前に流れてきたゴンドラへ何も考えず飛び乗った。

——観覧車はゆっくりと上昇する。高度が上がるにつれて視界も開けていく。駅ビル、広場、バス乗り場、線路、住宅、緑地、煙突。頂上付近に近づいてようやく、港北ニュータウンを一望できた。住んでいたマンションも、いつも遊んだ公園も、その近所の電波塔も、すぐ手が届きそうなところに見える。間違いない、このありふれた、何の変哲もない風景が、確かに私の根拠地なのだ。……

故郷はあらゆる人が持っていて、変えることのできないものだ。だから私にとってこの街は、一度刺れたら二度と消せない、タトゥーのようなものだった。

〝New Town〟と刻んだ馬鹿みたいな胸元がまだずきずきと疼く。自らのルーツを言葉そのままに血肉化した、コロナ禍の希薄な身体。今後、もし自分を見失うことがあっても、この彫り物を方位磁針にすればいい、ここがどこだろうと、ここはここでしかないし、私は私でしかないのだから。

そう自分に言い聞かせた刹那、ゴンドラは再びショッピングモールの屋上へと滑り込んだ。

第七号

澀東のオルタナティヴ

——大川水景

スカイツリーラインなる呼称を冠された東武鉄道に揺られ、北千住から牛田、堀切、鐘ヶ淵と、荒川に沿って進んでいく。すぐ反対に流れるのは隅田川で、鳥瞰すれば、二つの河川に挟まれた瓢箪みたいな形の一画。そのくびれた部分を下った先が、東向島である。台東区の側からは白鬚橋を渡ってまっすぐだから、文字通り、隅田川の向こう岸にある島のような場所なのだった。

東向島駅を降りて線路伝いに歩むと、この街の目抜きである大正通りにぶつかる。そこを右に折れて、墨田三丁目交番の脇道に這入れば、いよいよ迷路の始まりだ。鐘ヶ淵駅近辺に至るまで、毛細血管のごとく張り巡らされた路地が、縦横無尽に続くことになる。路傍には、古めかしい飯屋や商店、トタン貼りの木造家屋、空き地、鉄を打つ音の響く町工場等々が並び、庭先では鉢植えの草花が生命力を誇示している。うねうねと曲がりくねった隘路が方向感覚を失わせ、途端に自分がどこにいるのかわからなくなった。

　ここはかつての私娼街、寺島町「玉の井」だ。言うまでもなく、永井荷風の小説『濹東綺譚』の舞台であり、荷風はこの陋巷を「迷宮（ラビラント）」と形容した。じじつ、往時の路地口には「ちかみち」や「ぬけられます」といった看板が掲げられ、その奥には〝銘酒屋〟と呼ばれる売春宿が犇めいていたという。吉原とは異なる官未公認の岡場所で、そこら中に溝が流れ、蚊が群がり、「ちょいとちょいと」と袖引く声の溢れる、場末らしい歓楽街だったようだ。

　沿革としては、大正の頃、国の取締りが厳しさを増し、さらに関東大震災が決定打となって、〝浅草十二階〟こと凌雲閣下の銘酒屋が軒並み立ち退く運びとなる。そうして流れ着いたのが、隅田川を越えた玉の井だった。当時、東京市外だったそこは、亀戸と共に私娼窟として黙認されたのだ。

　むろん、既に東向島にその面影はない。だいたい、この一帯は東京大空襲で灰燼に帰している。戦災後は街区を少しだけ移し、売春防止法の施行まで、いわゆる赤線地帯として営業が続けられたそうだが、それも今は昔。現在では、そこここに新築の住宅が立ち並ぶ、静かで一般的な下町の風景と相成った。

とはいえ、やはり路地のつくり自体は変わらない。「ぬけられます」の掲示がなくとも、依然として「迷宮（ラビラント）」はその相貌を湛えている。

＊

もともと、私は下町にほとんど縁がなかった。

東京を大雑把に分ければ、山の手と下町の二つになる。横浜郊外のニュータウンに生まれ、山の手に通った私にとって、隅田川はおろか、東京の東側を訪れるのさえ稀だった。私の中の下町は、どこか遠くの方にある、イマジナリーな空間でしかなかったのだ。だが、いつからか下町に惹かれるようになった。現に今も荒川区に住んでいるし、これまで住んだ地域の中で一番しっくりきている。もちろん、そこは自分の地元（フッド）とは言い難い。でも、なぜだか下町は私を慰撫してくれるのである。

おそらく、その感覚の根っこには、西東京に対するここ一〇年来の諦念がある。再開発が加速し、入れ替え可能な都市になっていく東京の姿を、私は見ていられなかったのだ。それでも、何人かの友人たちみたいに、地方や農村へ引っ越すことはそう叶わない。あくまで東京の内部に安らげる土地を求め、逃げるようにして浮浪した先に、ようやく下町を〈発見〉したのである。

ただ、私は下町において余所者に過ぎない。勝手な幻想を抱いているだけの、いわば素見客（ひやかし）だ。なぜなら、そこで実地に生きる者は、決してそこを〈発見〉したりしないからである。だが、その矛盾を自覚した上で、それでもなお下町を好いてもいいはずだと、居直らずにはいられなかった。要するに、私は下町の魅力に気づくのが遅かったのだ。したがって私の知る下町の風景は、せいぜい、東京スカイツリーが建って以降のものなのである。

きっかけをくれたのは、やはりアートだった。東東京にはたくさんのオルタナティヴ・スペースが立地しており、自然と足を運ぶ機会が増えていったからだ。

オルタナティヴ・スペースとは、美術館でも画廊でもない、それら既存の機関から自立したアート・スペースを指す美術用語である。その独立性ゆえに、作家や企画者にとって、実験的な表現の受け皿として機能してきた空間だ。

私もまた、オルタナティヴ・スペースに携わってきた。初個展からこのかた、本棚の隙間、地下街の一室、取り壊し前の廃ビル、知人宅、空き倉庫、地方の古民家といった場所に、壁を立て、プロジェクターを打ち、安いピンスポを取り付けて、無理やり展示を行ってきた。私の世代のアーティストは、自ら場を開拓し、アトリエやギャラリー、シェアハウスなどを運営する者が少なくない。コマーシャルギャラリーには手が届かず、貸画廊を借りる経済力もなかった私たちは、寄り集まり、協力し合ってなんとか活動を続けてきたのだ。

とにかく、そうして私はイーストサイド、とりわけ墨田区へ通うようになる。墨田は東京の中でも家賃が安く、都心へのアクセスも悪くない。町工場跡や老朽化した長屋など、空き物件も多かった。さらに、一九九七年にオープンした「現代美術製作所」を先駆けに、数々のスペースやプロジェクトの歴史が堆積している。だからこそ、他ならぬ「濹東」に、独自の文化が形成されてきたのである。

そんな墨田のスペースへ出かける際、私はしばしば押上駅から歩いた。スカイツリーの根元、駅直結の商業施設・東京ソラマチを抜けると、周囲には真新しいマンションが散見される。が、住宅街へ一歩足を踏み入れれば、そこにはまだまだ下町らしい街並みが広がっていた。駅で言えば、この押上、曳舟、そして小村井に囲まれた辺りが、馴染みのスペースが集合するエリアだ。

北十間川沿いを行き、十間橋通りで左折、さらに路地を進んだ先には「あをば荘」がある。夜間中学と都営団地に挟まれた、文花という地区の一画。小さな印刷工場の隣にある長屋の一棟で、友人が運営メンバーだったそこには、よく展覧会を見に行く。今は真裏の土間もホワイトキューブに改装されて、複数のスペースが代わる代わる入居する、アートコンプレックス「文華連邦」になっている。

そこから少し足を延ばせば、プレス工場をリノベーションしたシェアスタジオ「float」や、トタンの壁面にカラフルなグラフィティの描かれた「spid」、小さな植物園のような温室の長屋「Green thanks supply」など、多彩な場と人に出くわせる。また、キラキラ橘商店街という昔ながらの活気溢れる通りには、絵画の展示を軸としたgallery TOWEDや、仮面のみを扱う風変わりな店「仮面屋おもて」が立地。商店街の脇道には、シェアカフェ「halahelu」があって、そこを営み、自身も「muumu coffee」の屋号でカウンターに立つアユムさんは、けん玉がすこぶる上手い。店の前には、いつもけん玉のプレイヤーが溜まっており、草の根のコミュニティを編んでいる。そういえば、この辺の路地では子供たちがよく懐かしい遊びに興じていた。路面にチョークで描かれたケンケンパの白円など、都内でなかなか見られなくなったその光景は、車が入り込めないほど狭い路地によって担保されているのだ。

若干の距離はあるが、曳舟から少し北には「Token Art Center」がある。ここも古い二階屋をベースにしたオルタナティヴ・スペースだが、先端的な現代美術を扱う、ぴしっとしたギャラリーだ。一方南に足を向ければ、駒形橋の先に位置する本所には、アートホテル「KAIKA 東京」が新たにオープンしている。東京において、墨田がコンテンポラリー・アートの拠点の一つになっているのは疑う余地がない。

おまけに、これらのエリアにはアート関係の友人が多数住んでいた。だいたいどこかのスペースの展覧会やイベントなんかで皆集まる。その流れで、焼肉屋「東大門」や居酒屋「かどや」あたりで軽く打ち上げをしてから、誰かの家に上がり込んだ。大抵が木造の長屋で、家賃が破格に安い。風呂がなく、近所の銭湯に通っていたりするが、それなりに広くて、作品制作もできる。そうした一間で、芸談と猥談を肴に夜更けまで酒を飲み、雑魚寝をして、二日酔いの頭を抱えたまま、翌朝よろよろと家路につくのが常だった。

当然、斯様に挙げたスペースは、この界隈の極一部の域を出ない。ほんとうはもっと多様な生態系があるのだろう。そもそも墨田は、ものづくりが盛んな、職人気質の街だ。

それだけに、昔からこの地に住む人々も、若いアーティストやクリエイターを受け入れて、懐の深い共同体を耕すことができたのだと思う。

平成最後の夏には、東東京のオルタナティヴ・スペースを全面的に使って、グループ展を開いた。美学校「アートのレシピ」卒業生有志でつくり上げた、ちょっとしたツアー型の芸術祭「明暗元年」展。私は三ノ輪にあるspace dikeで作品を発表したが、オープニングパーティの会場は、墨田区の京島、明治通り沿いに位置するsheepstudioだった。二人の作家と一匹の犬によるコレクティヴ "FABULOUZ" が、パーティに白くて長いリムジンで乗り付けるというパフォーマンスを敢行する中、私はその日その土間で、なぜか妻と婚姻届にサインも書いている。

そのsheepstudioも既になくなった。オルタナティヴ・スペースは、経済的にも運営的にも、まず継続自体が難しい。多くの場合、それは咲いてすぐ散る徒花なのだ。ともあれ、私はこんな風にして、縁遠かった下町と関係してきたのである。

＊

そんな私が、今度は自分自身でスペースを立ち上げる運びとなる。それが、墨田区吾妻橋にオープンした「喫茶野ざらし」だ。ディレクターを務めたのは、インディペンデント・キュレーターの青木彬と、建築家の佐藤研吾、そして私の三名である。

二十歳頃(はたち)に美術界隈で知り合って以来の友人である彬は、墨田にしっかりと根を張るキュレーターの一人だ。先述したspiidを主催し、一時はそこに住んでもいたし、このエリアを拠点とした「ファンタジア！ファンタジア！」というアートプロジェクトも実施している。また、研吾は石山修武の弟子筋にあたる、甚だ風変わりな建築家だ。東日本大震災をきっかけに、福島県の大玉村という農村に移住。コロナ前は東京、福島、インド間を飛び回る、多拠点生活の実践者だった。もともと、彼とは麻布学園の同級生だった縁もあり、そうした旧友の二人とプロジェクトを協働できることは、単純に嬉しかった。

基本的な役割分担としては、彬がディレクションを担い、研吾が内装を設計し、私が現場に立つというものだ。だが、三者三様の関心が重なる領域を拡張し、アイデアを横断させていくことで、各セクションは相互に浸透していった。あるオーナーの支援のもと、そうやって出来上がったのが喫茶野ざらしである。

ただし、このスペースこそ徒花だった。前述の三人は、もう一切店舗に関わっていないからだ。実質的に携わったのは、開店まで準備をした一年と、オープン後にそれを形にした半年の、わずか一年半程度。それでも、コンセプトや内装を仕上げ、展示やトークも行ったし、なにせ私は半年間、カウンターに立ってコーヒーを淹れたのだった。

そもそも、私たちは喫茶野ざらしを、一種のアーティスト・ラン・スペースとして構想した。展覧会やイベントを開催しつつ、一般的な飲食店としても開放している場所を目指したのである。

参照したプロジェクトは、ゴードン・マッタ゠クラークの「FOOD」だ。一九七一年、ニューヨークのマンハッタンでアーティストが開いたレストラン。作家たちが溜まったり、パフォーマンスを披露したりするオルタナティヴ・スペースであり、アーティストがスタッフとして働き収入を得る職場としても機能した。私たちもまた、そんな経済的に自立したスペースをつくりたかったのだ。

とりわけ意識したのは、農業や福祉など、アートの枠組みの外側を導入すること。例えば、大玉村直送の野菜市や、デイケアに通う人々の集いを実施した。なおかつ、喫茶店として常に地域に開かれている。それはコミュニティアートとか、ソーシャリー・エンゲイジド・アートと言われるものに近かったはずだ。そうしてディレクター各自の資質を活かし、いろんなジャンルがミックスされた、文化交流拠点の創出を試みたのである。

ちなみに、「喫茶野ざらし」というネーミングにはいくつかのレイヤーが畳み込まれている。まず、現行の都市空間への違和感が、ディレクターに共通の問題意識としてあった。それまでも、各々が都市に対してアプローチしてきたが、三人で対話を重ねる中で、「空き地」ないし「荒れ地」というキーワードが浮上する。そういう〈都市の余白〉を、私たちは「野」と捉えた。さらに、これから耕される場という意味も込めて、「野ざらし」という、およそ飲食店には似つかわしくない名を付けたのだ。

また、落語の演目「野ざらし」から文言を借用してもいる。美女の幽霊と出会うべく、向島で頭蓋骨を釣ろうとする下らない艶噺（つやばなし）。この物語が生起する地は、まさしく隅田川の川岸である。過ぎし日の隅田川の河原は、シャレコウベが転がっているような環境だったわけだ。風雨に晒された人間の頭骨も含意する「野ざらし」という言葉は、「荒れ地」＝「野」のイメージとも結びつく。あるいは、こう言えば語弊があるかもしれないが、かつて芸能者を河原乞食と称したように、河原は芸能や芸術の故郷でもあった。

ところで、大川とも呼ばれるこの河川は、喫茶店とものっぴきならない関係を持っている。というのも、日本で初めてカフェ文化が勃興したのは隅田川沿いにおいてだからだ。

文明開化の後、コーヒーを出す喫茶店は何店か開業していたが、明治末、新たに出現したのが「カフェー」である。一九〇八年、北原白秋ら文学者と美術家たちは、「日本にはカフェー情緒がないから、それを興そう」と、ギリシャ神話の放埒な牧神の名にちなんで「パンの会」を結成。耽美派の芸術運動の拠点として、パリのカフェの雰囲気を求め、セーヌ川ならぬ隅田川沿いに店を探した。そうした芸術家たちの活動から、銀座の「カフェー・プランタン」や「カフェー・パウリスタ」が生まれていく。

これらを踏まえて立ち上げた喫茶野ざらしは、内装の大掛かりなリノベーションも間に合わせ、二〇二〇年一月にいよいよ店開きした。

物件は、小さな二階建ての家屋である。倉庫として使われていたというその古びた木造建築を、研吾が全面的に改装した。床と天井をぶち抜いて、外壁を大きく穿(うが)つ。無造作に鋳造された取っ手を握り、そこに嵌め込まれたガラスの大扉を開けば、むき出しの土間から小上がりにかけて客席が広がっている。大玉村の籾殻が塗り固められた漆喰の壁に、木製のカウンター、独特の形状をした椅子やテーブル、藍染のランプシェード、自在に絡まる鉄骨。それら全てが彼の制作物で、全体に統一された有機的な空間を形づくっていた。二階に関しては、シェアスタジオとして改装中に私たちの手を離れることになるのだが、いずれにしろ、私はその場所に店員として通ったのである。

　喫茶野ざらしへの道のりは、都営浅草線の本所吾妻橋駅からすぐだったが、浅草駅からでも充分に近い。電車の場合、私はいつも銀座線の浅草駅から向かった。地下街の立ち食い蕎麦屋向かいの階段を登り、電気ブラン発祥の店である「神谷バー」を睨む。そして雷門とは逆方向へ、花川戸交番の脇を抜けて、隅田川に架かる吾妻橋を渡るのだ。向こう岸には、アサヒビールの本社であるジョッキを象(かたど)ったビルと、金の炎のオブジェが峙(そばだ)っている。程なく吾妻橋を渡り終え、隅田公園がリニューアルされた東京ミズマチを越えて、墨田区役所を過ぎた路地の奥にあるのが喫茶野ざらしだ。通りの先には、巨大なスカイツリーの全貌がありありと眺められた。

　でも、すぐに私は電車ではなく、自転車で通うようになる。それは、『濹東綺譚』冒頭の散歩道にざっと重なる道程だった。

初めに、町屋から都電に沿って三ノ輪に出る。映画『万引き家族』のロケ地にもなったこの街は、下町らしい下町だ。縦横に路地が走っていて、ジョイフル三ノ輪という、惣菜が破格に安い商店街がある。駅近く、「投げ込み寺」として知られる浄閑寺には、まさしく荷風の詩碑があった。吉原の遊女たちが供養されたこの寺で、毎年荷風忌は開かれているらしい。

荒川の治水のため、江戸幕府が造成したという日本堤をそのまま進む。その通りに面してspace dikeがあったが、現在は移転中。やがて『あしたのジョー』のモニュメントが見えてくると、左手の一帯は南千住の泪橋も近い、いわゆる山谷のドヤ街である。周囲の建物はどれも簡易宿泊所で、朝その辺りを通ると、日雇いのおっちゃんたちが集まっていることも間々あった。なお、山谷には「カフェ・バッハ」というハンドドリップ・コーヒーの老舗がある。

土手通りを挟んだ反対側が、〝不夜城〟と呼びならわされた吉原だ。より正確に言えば、明暦の大火によって、日本橋から浅草寺の裏手、つまり江戸の中心から周縁へと移された新吉原である。街を囲う塀やお歯黒溝はもうないが、大門や見返り柳といった名所が残され、湾曲した入口の先には今も歓楽街が栄えている。すぐ隣の竜泉は、樋口一葉『たけくらべ』の舞台。当時、一葉は家族で龍泉寺町の二軒長屋に住んで、荒物雑貨・駄菓子店を営んでいたそうだ。近所には、立派な一葉記念館も拵えられている。

一度目の緊急事態宣言を受けて、吉原の街並みは真っ暗になった。田んぼの混じる鄙(ひな)びた郊外だった頃のような、深い闇に包まれた吉原。その中を、ちょうど右足を切断して義足になり、自転車に乗れるようになった彬と、喫茶野ざらしからの帰り道、一緒に走り抜けたことをよく覚えている。

そのまま行けば浅草の端に出るが、時間に余裕のある時は千束通りで折れる。花やしきから六区、浅草寺と仲見世をぐるっとさらうこともあった。でも大抵は直行で、旧日光街道を曲がって言問橋を渡る。スペースを始めてから、浅草の古い人たちは墨田を「川向こう」と呼ぶと知った。逆に墨田の人たちは、浅草と一括りにされることを毛嫌いする。その中間に大きく横たわる隅田川は、やはり象徴的な境界なのだ。

カミソリ堤防で左右を固められたその境界線を跨げば、すぐ右手が牛嶋神社だが、ちょっと左手に入ると佐多稲子旧居跡の碑がある。プロレタリア文学者だった稲子は、子供の時分からこの地に長く暮らした。それら街の記憶が描かれた『私の東京地図』には、私自身、少なからぬ影響を受けている。と、そんな風に若干の寄り道をしても、北十間川に架かる源森橋を渡れば、喫茶野ざらしは目前だった。

カフェのなんちゃってマスターをやるのは楽しかった。正直なところ素人同然だったが、豆の仕入れ先でもあるmuumuu coffeeのアユムさんから、ハンドドリップのやり方は一通り教わった。ミルで豆を砕き、ドリッパーにペーパーフィルターをセットして、口の細長いケトルからぐるぐるとお湯を注ぐ。すると、豆がガスを放出しながらモコモコと膨らんだ。そうやって抽出したコーヒーを、温めておいたカップに移し、お客さんに差し出す。これら一連の動作を、私はある種のパフォーマンスだと考えながら実行していた。

徐々にドリンクのメニューを揃えて、トークイベントや展示を開催する。お客さんも、仲間や関係者に加えて、徐々に地域の人たちが増えていった。そのまま回ってくれればよかったものの、そう上手くはいかないものだ。何より、喫茶店としてオープンした直後から、世の中はコロナ禍に呑まれることになる。パンデミックと並走しながら、オルタナティヴ・スペースとして、また飲食店として、絶えず変化する情勢に振り回され、右往左往する毎日。それでも、イベントをオンライン化したり、テイクアウトに対応したりと試行錯誤を続けた。

その矢先、ここでは仔細に書かないが、ある決定的な出来事が起こる。それを引き金にして、件のオーナーとこれ以上共同でプロジェクトを継続するのは不可能だと判断し、ディレクター三名は店舗の運営を離れることになった。店自体はまだあるが、私たちはチーム「野ざらし」としていくつかの展覧会やワークショップに参加しながら、継続して活動を展開している。

その後、私たちはそれぞれの土地に散らばった。研吾はいよいよ大玉村を拠点にして、自ら改装した古民家に一家で住み、その一角では、コーヒースタンドが併設された小さな古書店を開いたようだ。彬は東向島に事務所を構えながらも、横須賀の田浦という小高い山の上に移住して、アーティストのパートナーと生活を営んでいる。私はと言えば、相変わらず東京の下町に居残ったままだ。

オリンピックに端を発する再開発と、駄目押しのコロナ・パンデミックによって、ここ数年、東京という都市の磁場が急速に色褪せていったのは疑い得ない。そうした都市空間の不可逆的な衰耗は、本書でも号を重ねる毎に刻み込まれているはずだ。もしかすると東京は、遂に〈バビロン〉として完成されつつあるのかもしれない。少なくとも、都市のあり方を根底から見直す必要があるのは間違いなかった。

＊

東向島の「迷宮」をどうにか抜け出して、鐘ヶ淵の駅前に出る。

再び東武鉄道に乗り込み、曳舟駅、とうきょうスカイツリー駅と過ぎると、隅田川に架かる橋梁へ差し掛かった。列車はジェットコースターの最後みたいにガタガタと音を立てながら、松屋百貨店直結のモダンな駅舎にゆっくりと吸い込まれていく。

「東京オリンピック・パラリンピック二〇二〇」は、二〇二一年の夏、あっさりと閉幕した。二〇一三年に招致が決定してから絶えず繰り広げられてきたあの狂騒も、終わってみればまるで夢だったかのようだ。

コロナ禍による緊急事態宣言発令中、無観客とはいえ、直前まで甚大なスキャンダルを撒き散らしながら、新国立競技場にて開会式は敢行された。国民に自粛を要請しつつ、他方で祝祭を強行するその明らかな二枚舌に、私は虚しくなり、次いで何だか全てがどうでもよくなった。その感覚に襲われたのは、おそらく私だけではないはずだ。実際、オリンピック開催直後から、市街の人出は爆発的に増えた。たしかに、今のところ感染者数は抑えられているが、リバウンドと言われるような事態がいつまた訪れないとも限らない。そんな空気が、もう既に二年近く続いている。

気づけば東京は、ほとんど焼け野原になっていた。まるで戦災を経たかのように、商店や人が消えた街で、これから深刻なツケを支払っていくことになる。今やこの街は、それこそ野ざらしだった。今後はオルタナティヴ・スペースの様相も、かなりの部分変わっていかざるを得ないだろう。政治、経済、そして他ならぬ文化によって、私たちは皆分断されてしまったのだから。

――浅草駅で下車し、さっき通った東武線の鉄橋へ引き返す。昨年、橋の横に付随する形で新設された、すみだリバーウォークを渡るために。その木製の遊歩道から川面は随分間近にあって、ちらちらと夕陽を反射している。橋の中ほどまで歩を進め、吾妻橋の方角をぼんやり眺めると、隅田川はただ悠然とそこにあった。大川はずっと変わらずに、ここ東京の変遷を見つめてきたのだ。……

東京の特に下町は、これまで数多の災害に見舞われてきた。夥しい大火や洪水、関東大震災、東京大空襲、そうやって野ざらしになる度に復興を果たし、〈スクラップ・アンド・ビルド〉を繰り返してきたのがこの街だ。だとすれば東京は、目下の壊滅的な状況の中から、またぞろ頭を擡げることができるのだろうか？

眼前の屋形船一つ浮かばぬ隅田川。その河原にかつて転がっていたシャレコウベを想う。後方を仰ぐと、まだ樹齢の短い電波塔が青白く発光を始めていた。

第八号

千歳烏山の芸術家——アトリエクロー

ご――――ん…………と、太い低音が鳴って長々と残響する。ドラムセットのように配置された大小様々な銅鉢や鈴。その鳴物を、中央に座した僧侶が棍棒みたいな撥（ばち）で次々に打つ。すぐに一定のテンポを刻む木魚の上で読経が始まった。何と言っているのかわからないが、リズムに絡むその声色と抑揚だけで、私はいつも何事かを納得させられてしまう。

参列者が順々に焼香を済ませていく。すぐに私の番が来たようだったので、流れに身を任せて席を立った。焼香台の前で一礼。抹香を右手で摘み、額の前にかざしてから香炉にくべる。その所作の手順を必ず忘れるから、その日も前の人の見よう見まねだ。数珠を挟んだ手を合わせて頭を下げると、その先の祭壇には一枚の遺影が置かれていた。写真いっぱいで破顔する老人の相貌に、見覚えはない。

私は会ったことがない人の三回忌に参列していた。

三回忌どころか、お通夜にも、むろん葬儀にも参じていない。だから私とその人とは、いわば初対面のようなものだ。その初めて顔を合わせる人に、私はどうにか思いを馳せているのだった。

時折、本堂の外からは列車の通過音が聞こえてくる。やがてお坊さんの故人を偲ぶ言葉で法要は終わった。そのまま参列者たちは墓所へ移動する。墓地のすぐ裏は京王線の芦花公園駅で、ここは長泉寺という寺院の境内。その一角、列の最後尾について自分の番を待ってから、ようやく対面した墓石に柄杓で水をかけ、改めて手を合わせる。

墓石の正面には「杉田家之墓」と彫られていた。

杉田は私の父方の祖母の旧姓だ。約二年前に亡くなった、つきみ野に住んでいたおばあちゃんの名が杉田昌代。そのおばあちゃんの弟だという人が、杉田五郎である。そう、この会の当人はこの人、杉田五郎さんだった。私にとってみれば、〝大叔父〟に該当することになる。

その人は、千歳烏山で長年にわたり画塾を営んでいた。

何より、杉田五郎はその生涯を通して、一人の画家であり、一人の芸術家だったのだ。

*

つきみ野のおばあちゃんが亡くなったのは、杉田五郎さんの四十九日の日だったらしい。おばあちゃんの葬儀を執り行ったのが、二〇二〇年の一月だから、五郎さんはその少しだけ前にこの世を去っていたことになる。享年八七歳だった。

つきみ野の祖父母宅へ遊びに行った時に、「千歳烏山で絵画教室を開いている画家の五郎さん」として、その人の名前はたまに耳にしていたし、父が学生時代、その教室へ通っていたことも何となく知っていた。それでも、両家の親戚付き合いは途絶えていたので、私は五郎さんに会ったこともなければ、彼の作品を見たこともなかった。だから自然と、五郎さんのことも絵画教室のことも、全く頭から抜け落ちていたのだ。

そんな記憶が蘇ったのは、三〇歳を越えた頃、ふと油絵を描いてみようと思い立ってからだ。初めて油絵を描くと決めてすぐ、つきみ野のおばあちゃんが亡くなった。それを機に、おばあちゃんが趣味でたくさんの油絵を描いていたこともあって、自身と油画のごく個人的なつながりについて考えるようになる。そうした中で、やっと杉田五郎という人の存在が思い出されてきたのである。

「そういえば親戚に一人、画家がいるらしかったな……」

それから私は、五郎さんのことを頭の片隅に油彩画を描いていった。さらに、それはいつからか、五郎さんに会いに行ってみたいという思いに変化していた。会ってどうなるか、そもそも会ってくれるのかなど、皆目見当はつかなかったが、せっかく親族に画家がいるからには、直接お目にかかりたかったし、できれば作品も見てみたかったのだ。しかし何事につけ横着な私は、そのうち連絡を取ればいいと高を括っていた。親戚だもの、何とかなるだろう、と。

そして、いよいよ二、三ヶ月前、おぼろげな記憶を頼りにネット検索をかけ、京王線・千歳烏山駅すぐ側の絵画教室の名前が「アトリエクロー」であることを再確認する。と、同時に、予想だにしなかった情報が飛び込んできた。それは東京展美術協会という美術団体のサイト上に掲載された、上野の東京都美術館の一室で開かれていたという、杉田五郎「顕彰故展」の記録だ。「故展」なのだから、作家が亡くなっていることは自明である。加えてその展覧会は、新型コロナウイルスの影響で開催が遅れ、つい先日、ようやく実現に至ったということだった。

要するに、杉田五郎さんはとうに他界していたのだ。その事実を、逝去から二年余り経ったタイミングで、私は初めて知ったのだった。しかも、直近で大規模な顕彰故展まで催されていたにもかかわらず、完全に見逃している。私は自身の不精を恨みながら、いろんな意味で後手であることを自覚しつつも、重い腰を上げてコンタクトを取ることにした。ホームページによれば、まだアトリエクローは子供クラスのみ開講しているらしい。そこで、杉田五郎というアーティストについてお話を聞かせてもらえないか、という趣旨のメールを送った。親戚だと名乗ったが、いきなりのことで相当怪しかったはずである。

すると、すぐに返事があった。送り主は、五郎さんの妻だという千鶴子さん。八八歳で、難聴の気があるとのことだったが、その文面は甚だ明晰だった。遠い親戚からの突然の連絡に千鶴子さんは驚いていたが、彼女にとって私は、かつてアトリエクローに通っていた「信ちゃん」の息子として受け入れられたようだ。

メールでのやりとりによると、アトリエクローは教場であり、生前の五郎さんのアトリエであり、また彼ら夫婦の住居でもあった。そこにまだ千鶴子さんは一人で住んでおり、近所にいる息子の顕久さん一家が面倒を見ている。顕久さんは私の父の従兄弟で、中学生の時には、クローに通っていた父に家庭教師をしてもらっていたとのことだった。

そして、やはり顕彰故展は終わったばかりであり、なんなら新宿のギャラリー絵夢で追悼展覧会も開かれたばかりだったことを聞く。絵画教室に関しては、油絵科はもう閉じてしまったが、子供クラスを千鶴子さんが引き継いで、週二日だけ開いているそうだ。

そうした話の流れで、長泉寺という菩提寺において、もうすぐ五郎さんの三回忌があることを千鶴子さんに教えてもらう。結局、五郎さんに会うことは叶わなかった上、幾度かの作品鑑賞の機会すら逸していた私は、間接的とはいえ、杉田五郎との貴重な接点だと感じ、またアトリエクローの往年の生徒たちも参加するらしかったから、三回忌へ出席させてもらうことを決めた。

こんな経緯で、私は杉田家の墓石に手を合わせていたのである。

＊

墓地から戻り、寺の一間にて三〇名ほどの所帯で昼食をとる。食事の前に、私は千鶴子さんから皆へ紹介された。そのまま隅の席で元生徒さんたちの話を伺いながらお昼をいただく。聞くところによると、先のお坊さんも子供の頃にクローへ通っていた時期があるそうだ。

部屋の前方に据えられた五郎さんの遺影と位牌には、皆と同じ御膳が供えられている。遺影の中の五郎さんは、何度見てもエネルギーが漲っていた。おそらく自作だろう、赤とオレンジと黄色、ピンクなどが複雑に混じった抽象画を背に、絵具で汚れたTシャツ姿で、手袋を嵌めた両の手を、満面の笑みがこぼれる頬の横で大きく開いている。私はそれを、すごくいいポートレートだと思って見ていた。

昼食を済ませると三回忌は終わったようだ。ただ、これからアトリエクローでちょっとした会を開く段取りになっているとのことで、皆とクローへ連れ立つ運びになる。芦花公園から千歳烏山までは歩いてすぐらしい。思えば、私は世田谷のこのエリアにあまり縁がなかった。たしかに母方の祖父母の家が府中にあるから、「府中のおじいちゃんおばあちゃん家」へ電車で行き来する際には、この辺りを通過していたはずだ。しかし、それはやはり通過点に過ぎないのであって、京王線沿線に並ぶ世田谷の街々に、ほとんど馴染みがないことに違いはなかった。

世田谷文学館もあって、現に徳富蘆花の旧宅があるという芦花公園駅から、閑静な住宅街を進んでいく。すると一〇分もしないうちに、千歳烏山駅に到着した。駅前にはなかなか通行できない〝開かずの踏切〟がある。その手前、商店街から脇に伸びた路地に佇むのが目的地だ。三階建ての立派な建物で、パレットを模した看板には「アトリエクロー」と赤い文字で書かれている。正面の一画にはガラス張りの小さなギャラリースペースもあった。ここには以前に一度、千鶴子さんへご挨拶するため訪れている。

一階の教場はかなり広々としていて、イーゼルや椅子、筆洗い、石膏像などがたくさんしまわれていた。二階には杉田五郎のアトリエがあり、そこも見学させてもらったのだが、五〇〇号近いサイズのカンヴァス作品がいくつも収蔵されている。あるいは、額装されたドローイングや小さな裸婦のクロッキーなども、所狭しと積み上げられていた。このアトリエでずっと制作していたのか、と私は一人感慨に浸る。作家のアトリエは、それが誰のものであれ、思索と試作に向き合う空間特有の静謐な空気が漂っているものだ。

同席してくれた顕久さん曰く、アトリエクローは初めからこの場所にある。そもそも、千歳烏山や千歳船橋、成城まで含め、かつてこの地一帯は千歳村と呼ばれていた。その千歳村の村長が、顕久さんのひいおじいさん、すなわち五郎さんのおじいさんだったそうである。だから杉田家は代々この辺りに暮らしてきた。京王線が敷かれたり、一種の高級住宅街として発展したりするのは、だいぶ後のことだ。もちろん五郎さんもこの家に生まれ育った。ということは、私のおばあちゃんの生家でもある。そう考えると、私のルーツの一部もまた千歳にあることを得心するのだった。

教場に参加者が揃ってから、色々な菓子類や果物が並ぶテーブルを囲んで、献杯が交わされた。にわかに座は活気づく。皆一様に喪服に身を包みマスクをつけている。私も真っ黒なスーツを着ていたが、それはネットのレンタルサイトで揃えた一式だった。ネクタイや革靴まで借りたのである。前夜に白いワイシャツすら持ち合わせていないことに気づき、急遽セブン－イレブンでサイズの合わないシャツを買ったくらいだ。

場違いであると感じながらも、私はその会に加えてもらい、生徒さんたちに話を聞いて回った。多くの人は何年も教室に在籍しており、中には二〇年近く通っていたという人もいる。そのほとんどが作品の制作を継続しているようで、先日開いたという個展のエピソードを聞いたり、出品している展示のＤＭをもらったりした。また、自分が卒業してから息子や娘を通わせている人もいるので、そこには子供たちの姿も散見される。皆この場所自体が懐かしそうだし、コロナ禍を経たこともあろう、久しぶりに仲間で一堂に会したことが何より嬉しそうだ。見ての通り、アトリエクローには芸術を通して紐づいた、分厚いコミュニティがある。そしてその中心にいるのは、やはり五郎さんだった。

元生徒の人たちの話によれば、五郎さんは気さくで楽しい人であると共に、厳しい先生でもあったようだ。こだわりが強く、自分が納得のいかない絵は頑なに認めなかったし、時に激しく叱責もした。そうした方針とそりが合わず、五郎さんとぶつかって去っていく人もいたという。それでも、とにかく授業には心血を注いでおり、講評が深夜まで及ぶことも少なくない。語り出すと止まらず、教室説明会でも毎回二時間近く喋っていたそうだ。想像するに、五郎さんはピュアで情熱的なタイプの作家であり、それゆえ言ってみれば、非常に芸術家らしい芸術家だったのではなかろうか。

一座に酔いが回り場は温まってきた。そんな折に一人が持参のケーキを差し出す。ホールの前面には、五郎さんそっくりの似顔絵がチョコレートで描かれていた。その人が自分で描いたそうだ。流石、絵画教室の会合である。五郎ケーキの登場に皆は大いに盛り上がり、やんや言われながら千鶴子さんが切り分けて、その一片は遺影の前に供えられたのだった。

＊

それでは、杉田五郎とは一体どのような芸術家だったのだろうか。

一九三二年生まれの五郎は、戦中に少年期を送った昭和一桁世代だ。後に電電公社、つまり現在のＮＴＴに就職して技術者として勤めた。その時期に千鶴子さんと出会って結婚し、三人の子供をもうけている。そして三九歳の時、「俺は三〇代で絵描きになる」と宣言して会社を辞めた。今よりもずっと退職や転職が珍しかった終身雇用の時代に、その決断が周囲の目から無謀に映ったことは想像に難くない。一番下の娘が生後八ヶ月だったというから、破天荒とすら言っていいだろう。

もちろん、会社員時代から絵は描いており、いくつかの公募展で入選もしていた。美術大学を出たわけではなかった五郎は、「芸術は教わるものではない」「自分で掴み取っていくものだ」と、独学で制作を続けることに確固たる信念を抱いていたという。また、アトリエクローは退職以前から立ち上げられていた。当初の教場では絵画教室と共に、青山学院大学を出た千鶴子さんによって、子供のための英語教室も開かれていたらしい。

千鶴子さんは「もし絵がダメでも、私が英語でなんとかするわよ」と言ってくれていたそうだから、そうしたサポートがあってこそ独立に踏み切れたはずだ。結果的に、絵画教室はすこぶる繁盛した。最盛期には三〇〇名近い生徒が在籍し、入会まで数ヶ月待ちなどということもザラ。信州には合宿用の山荘を建て、夏休みの間、生徒を二、三〇人ずつに分けて何往復もして連れて行った。そうした教室の経営に奔走しながら、自分自身の絵画を突き詰めてきたのである。

その作品の主題は、一九七〇年代から一貫して「鶴」だった。絶滅危惧種に指定され、日本では北海道のみに生息するという野生鶴の〝丹頂〟が、杉田五郎の芸術の原点であり、生涯のモチーフだったのだ。実際、多彩に描かれた作品は全て同じタイトルが付けられている。そのタイトルこそが、《つるの通るみち (MAN and CRANE)》だ。丹頂の美しさに魅せられた彼は、三〇年以上にわたって、毎年厳寒の北海道・道東地方に足を運んだという。冬の間のみ餌を求めて人里に姿を見せる丹頂を追い、阿寒や鶴居といった営巣地を訪ねて、その生態／生体の観察やデッサンに明け暮れたのである。

自ら展覧会カタログなどで書いているように、杉田五郎が丹頂を媒介に表現していたのは「人間の二面性」だったようだ。「丹頂の絶滅を救った人間の良心」と、「生態系を壊してまでも観光資源化し経済優先に走る人間の欲望」。極めて純粋に生きる野生鶴の生き様から照射して、アンビバレントな性質を宿す人間への眼差しを画布に刻み込み、「人間に本来の生き方」を追求した。

以前、アトリエに置かれている作品群を鑑賞させてもらったが、なるほどそれらには鶴が描かれている。しかし、いわゆる具象画ではないし、ましてや花鳥風月的な世界観とも一線を画していた。画面には多くの場合、丹頂の目玉や頭部、羽、骨格、脚などの造形が散りばめられ、何層にも絵具が塗り重ねられた地の上で、抽象的に再構成されている。それらの深度や緊張感が本物であることは、私にだって手に取るようにわかった。

そうした絵画の探求を続けた五郎は、後年になって特にアメリカで評価されている。一九九八年にニューヨークのソーホーで開催した個展を皮切りに、以降数年間、ワシントンDCで毎年個展を開催。他のいくつかの都市にも巡回し、ジョージワシントン大学とジェームスタウン大学には作品が永久収蔵された。また、二〇一〇年にはパリのギャラリーで個展を行うなど、海外でも精力的に活動したそうだ。

正直に言えば、その作品や経歴について不勉強だった私は驚いた。杉田五郎は、国内外で果敢に活動を展開するアーティストだったからである。しかも、主宰する絵画教室で日夜教鞭を執っていた。その意味でアトリエクローもまた、彼の〈作品〉だったと言えるのではないか。

クローというネーミングの由来は、言うまでもなく千歳烏山の「烏（からす）」から来ている。最初「アトリエゴロー」にする案もあったというが、流石に常時「ゴロー」「ゴロー」と呼ばれることになるのは憚られたらしい。コースは油絵科と子供クラスの二つ。自身も子供クラスに参加していた顕久さんによれば、その授業はいたって独創的だった。五郎さんはオリジナルの物語のようなものをたくさんストックしており、そのストーリーを語ったり演じたりすることで、子供たちに絵を描かせていたというのだ。

例えば、ある日の授業では「鬼」を演じた。土着的な面を被り、赤パンツ一丁で全身を真っ赤に塗る徹底ぶり。そのいでたちで、「ウワーッ！」と叫びながら教室中を駆け回り、場をかき乱して去っていく。当然、教場は阿鼻叫喚。すぐさま風呂場で絵具を洗い落とし、何食わぬ顔で戻ってきた五郎さんに、子供たちは「鬼が出た！」と口々に訴える。そこですかさず、五郎さんはこう焚きつけたという。

「鬼が出たって？　じゃあ、どんな鬼だったか、絵に描いて先生に教えてよ」

すると、子供たちは夢中になって絵を描き始める。そこに上手い下手はない。あるのは冷めやらぬ興奮を画用紙に定着させようとする、鮮烈な創作意欲だけだ。いわゆるお勉強とは異なる、心を揺さぶられる生々しい体験。おそらくそれは、美術教育において最も大切なものの一つだろう。

そうした「授業」は、まるである種のパフォーマンスのようだ。一人で脚本・演出・主演を務める舞台のようでもある。一方で先述の通り、油絵科の方ではかなり厳格だった。線の一本一本まで、とにかくデッサンにはシビアだったらしい。それでも生徒がい い絵を描くと、我がことのように喜んだそうだ。

そんな五郎さんは、亡くなる一年ほど前から入退院を繰り返していたが、体調の許す限り授業を続けていたという。どうしても教場で、自分の声で教えたかったみたいだ。また亡くなる三ヶ月前には、旧作とはいえ、銀座のギャラリーGKで個展も開催している。晩年の画風は、白地の目立つ大画面に象徴化された鶴の図像が配されたもので、一切の無駄を排した、極度にシンプルな境地に到達しつつあった。

最終的には持病で再入院し、二〇一九年一二月五日に五郎さんはこの世を去るわけだが、最期まで旺盛に美術に携わり、芸術家としての生を全うしたのだと私は思う。

杉田五郎は、その生涯を通して、カンヴァスと格闘する画家であり、千歳烏山に根を張って文化を耕した教育者だった。そこには、入念に書き込まれた在野の美術史の一頁が、確かに存在している。

*

最後に皆で集合写真を撮り、宴もたけなわで会はお開きとなった。まだ日の陰らないうちに銘々が帰路につく。どうやら参加者は近場に住んでいる人ばかりではないようだ。クローの後片付けをしながら、千鶴子さんは、私がこのタイミングで現れたことを、偶然ではなく必然だと感じると語ってくれた。たしかに、私が油絵を描こうと思い立った時期と、五郎さんが亡くなった時期は、ほとんど重なっている。誤解を恐れずに言えば、五郎さんに導かれるようにして、私は油絵を描き始めたみたいだ。

もちろん、私は自分の意思で油画を始めたのだし、さっき書いたように、自身の怠惰から五郎さんの追悼故展なども見逃している。それでも、油絵について考え出してからすぐ、棺桶に入ったおばあちゃんと、彼女の手による油彩を見送り、気づけば五郎さんの三回忌にまで参列して、今このアトリエクローにいる。五郎さんに「呼ばれた」とでも仮定しないと、どうにも辻褄が合わないではないか。

千鶴子さんには、会わずじまいでよかったのかもしれないわね、とも言われた。もし直接会っていたら、私の活動や油絵をおもしろがってくれたかもしれないし、逆に一切を認められなかったかもしれない。本人と対面しなかったからこそ、ある程度の距離感を持って、客観的に杉田五郎という作家を眺められたのだ。それは大叔父という、これまた近からずも遠からぬ親類であったことも大きいだろう。

そうやって想い巡らす中で、私は自身の内に流れる、文化的な遺伝子の一端を見る思いがした。なにも私は、〈家〉や〈血〉を絶対化したいわけではない。しかしそれでも、杉田五郎、その姉である祖母、そしてその息子である父を経由した影響関係を、無視できないのだ。

特に、私は父のことを思い返していた。幼少期、いつも私が好きな漫画のキャラクターの絵を描いてくれたことや、中学生の頃に基礎的なデッサンを教わったこと。私が漠然と美術大学への進学を相談した時、「美大に行っても芸術家になれるわけではない。美大に行こうが行くまいが、表現をする奴はする」と諭されたこと。そういった折、父の意識の背後には、杉田五郎という画家の存在があったのではないか。あるいは、二十歳（はたち）

の私が初めて展覧会に出品する際、手伝ってもらった搬入の車内で、「そういえば父さんも二十歳の時、銀座のギャラリーに初めて作品を展示したな」と、不意に漏らしたこと。そうしたイメージの断片が、瞼の裏に浮かんでは消えていく。

クローにもう来客は残っていなかった。教場はすっかり片付いたようだ。いよいよ私も帰ろうという段になって、今度は顕久さんが、実はここもそのうちなくなるんです、と教えてくれた。千歳烏山では、これから大規模な再開発が始まるというのだ。

都市計画によると、駅前一帯が開発され、新しい道路とロータリーができて、複合商業施設も建つ。駅から目と鼻の先にあるアトリエクローは、その開発の中心地に位置しており、むろん取り壊しは決まっていた。七、八年前からの話で、現在、その計画は粛々と進んでいるらしい。

生前、五郎さんは「新しい街になるのであれば、どこかに文化の香りを残してほしい」と常々語っていたという。千歳烏山は住民も多く、商店街にも活気がある。ただ、決して文化施設などが充実しているわけではない。その中で、自分はずっと絵画教室を開き、このアトリエで作品をつくってきた。だから、たとえクローがなくなったとしても、千歳烏山には何かしら文化的な要素を残してほしいのだ、と。別に遺言というわけでも、親父の意思を継ぐというわけでもないが、と断りを入れつつ、顕久さんはちょうど、まちづくりの委員会に参加し始めたということだった。

去り際にそんな話を聞いてから、玄関でレンタルの黒い革靴を履く。今日一日、ほんとうにお世話になった千鶴子さんたちに散々お礼を言って、私はクローを後にした。

――路地から振り返り、アトリエクローのパレット型の看板を見やる。この建物も、この道も、再開発で全てなくなってしまうのだとしたら、眼前の風景を描き留めておくことに多少なりとも意味はあるのだ、と己に言い聞かせる。たとえ私の拙い油絵だろうと、なくなってしまってからでは遅いから。これからできる新しい街にも、ここみたいな場所ができることを願って。………

杉田五郎の全作品に冠された、美しいタイトルが頭をよぎる。つるの通るみち――そう、大事なのはいつだって〈みち〉だった。「根拠地」を模索し、浮浪しながら経巡ってきた街々で、決まって足元にあったのは〈みち〉だったじゃないか。

五郎さんは、芸術家としてつるのように気高く生き、そしてまた、市井の人としてからすのように逞しく生きた。きっとそれが、つる（CRANE）でもあり、からす（CROW）でもあるような、人間（MAN）たる五郎さんの〈みち〉だったはずだ。じゃあ、私はこれからどんな〈みち〉を歩んでいくのだろう？

およそ二年の間、私は私が踏みならした街並みをカンヴァスに描き、そしてその物語を書き継いできた。長谷川利行のようにやれたのかはわからない。一つ言えるのは、この道程が利行とも、五郎とも、他の誰とも異なる〈みち〉であるということだけだ。数多の死に囲まれ、支えられながら、しかし未だ命ある肉体を引き摺って生きる私は、これからもあてのない彷徨（ほうこう）を続けることしかできない。いや、少なくとも、それができるのだ。

自らの〈みち〉を通っていけば、今後もその先々で、私は誰かに出会い、何かをつくるだろう。

そんなことを考えながら突っ立っていると、千歳烏山駅前の長い長い踏切がようやく開いた。

ブリコラージュ油彩画と東京ヴァナキュラー現代美術の行方

佐藤直樹
（画家／デザイナー）

まずは中島晴矢の油彩画を目にした時の新鮮な驚きから書き始めたい。そもそも絵画の善し悪しを語ることは難しい。絵画は幾度となく死を宣告され幾度となく回帰し今に至っている。もちろんそれは「美術界（アートワールド）」と呼ばれる特殊な場においての話であって、現実に様々なレベルの美術市場（アートマーケット）が存在し続け、また市場外においても人の描く行為自体がなくならない以上、死を宣告されたくらいで絵画なるものが存在しなくなるとは考え難い。ではなぜ、そんな話が、それこそなくならないのか。なくならず尾をひき続けるのか。それはおそらく「前衛」や「先端」といった問題に関わっているだろう。

中島の油彩画は、わたしの目にとても新鮮に映った。近年稀に見る新鮮さであったと言ってよい。前衛的なところも先端的なところもなさそうであるのに。その油彩画を最初に目にした場面のことは、本文の中でも言及されている。

油絵を描いてるんです、と言うと、匂いでわかるよ、と笑われた。
「議論をする時だってなんだって、皆こうやって、手を動かしながら話せばいいんだ」
今日は君が絵を描いている姿を見られてよかったよ、佐藤さんはそう言って去っていった。

これがその場面だ。ずいぶんと奇妙な発言をしている。そしてどこか偉そうだ。恐ろしいことである。いや、そんな話ではなかった。とまれ、わたしは何の心づもりも先入観もなしに、そこを通りかかった。そして、最初は匂いを、次に描いている最中の姿を、そして最後に絵を、認識した。油彩画の展示やそういう教室を覗いてみたといった話ではない。ただ不意に出会っているのである。まずはこの点を確認させていただきたい。

油彩画は、それが描かれるべきところで描かれ、飾られるべきところに飾られている。国立新美術館や東京都美術館、全国の近代美術館へ足を運べばいくらでも見られる。新宿の世界堂本店三階は油彩の画材で溢れているし、エレベーターで上がってすぐのところには長年にわたってビデオが流れていてベレー帽を被った人が解説をしてくれてもいた。(今はもうない)

この場面の美学校もそれが描かれてしかるべきところではないのかと思われる方もいるかもしれない。しかし、そう簡単な話でもないのだ。昔は「絵を描いている人」をストリートでもよく見かけた。本格的な油彩の道具とともに。しかし今はほとんど見かけることがない。高齢化した末ほぼ絶滅に向かっている。そして率先してそのような人々を絶滅に追いやらんとする活動を続けてきたのが美学校という場所だったのだ。

前衛的たろうとする者は、それ以前に存在してきた活動を追い求める者を認められない。美学校は前衛芸術の機運とともに一九六九年に誕生した。二〇一二年には「日本画」が、二〇二一年には「油絵」が、講座名に関わる言葉として登場しているし、それほどわかりやすい新旧の構図はもはや存在しない、とも言える。が、逆の言い方をすれば、たったそれだけのことに半世紀もの月日を要した場所なのである。いろいろと捩じれていることがわかっていただけよう。

そんな美学校の一角で、脈絡もなく、何の評価や報償とも関係なく、誰に頼まれたわけでも薦められたわけでもないのに、ただ油彩画を描き始めている男がいた。シミュレーショニズム的な何かだろうか。最初はそんなふうにも思った。しかし覗き込んでみると、驚いたことに、ただ普通に「いい絵」が描かれていたのだ。冒頭に「絵画の善し悪しを語ることは難しい」と書いた。けれども「いい絵」の条件についてはわりと簡単に言えると思っている。それは「他意の（感じられ）なさ」だ。

職業画家の絵には概ね何らかの他意が含まれる。というよりも、様々なる他意の交差点上に浮かび上がっているのがプロフェッショナルな絵画であると言うべきかもしれない。プロフェッショナルであることは資本主義的であることと切り離せない。であるから、職業画家が「いい絵」を描くことはとても難しい。「よくできた絵」は描けても。そんな公式がわたしの中にはある。「いい絵」は資本主義の〈外部〉に存在する。

「他意はなかった」と申し述べる政治家の言葉が真理であったことはない。同じことは職業画家にも言える。もちろん、政治家が否定できない存在であるのと同じように、職業画家を否定することはできない。他意をもって絵を描き生業にしているのが職業画家であろうと定義してみているに過ぎない。

逆に「いやむしろ自分にこそ他意はあった」と中島は言うかもしれない。「ちょっとした下心だってあったのだ」と。説明が難しいところではあるけれど、コントロールされていない意識のことを他意と呼ぶ必要はないだろう。

「いい絵」は、後になって資本主義的に流通したりもする。過去の名画が取引されているのもそういうことだ。しかし今現在の、もしくは未来の「いい絵」というものを考えた時、資本主義は関係しない。相性がいいわけでもない。相性がいいものはイラストレーションになる。するとイラストレーションとして扱われることと距離を置きつつ職業画家であろうとする者はどのような意に沿って存在することになるのか。ここからは表象文化と関わる問題になってくる。「他意のなさ」とはつまり「直接性」であり「個別具体的」なものだ。一時であれ社会的な関係性から切り離されない限りそれはやってこない。そして周囲の者は、何らかの文脈において反応する。

文脈に従って描かれているのではないのに読み解くだけの文脈を持っているもの。これは恣意的に選び取れるものではない。原理的に狙ってできないようなことを職業化すれば矛盾が生じる。現在の画家やアーティストの多くは職業的な成立を目指しているため、どうしても所与の何かを狙うことになる。つまりどこかに恣意性の問題を抱える。

「絵画の死」はもう手垢がついてしまったのでもはやほとんど誰も言わなくなったにせよ、描こうが描くまいが、人は何らかの文脈に従って行動しているわけで、その点がより前景化している現在、画家なりアーティストなりもごく一般的な職業として納まっていくことになる。

そんな状況下において、この「他意の（感じられ）ない絵」に出くわした。旧来的な意味での絵画の条件を満たそうと努力しているわけでないことは明らかである。イラストレーションとして向かっている先も見えない。いわゆるアールブリュット、アウトサイダーアートや子どもの絵というわけでもない。では何だろうと思いながらWEB連載「オイル・オン・タウンスケープ」を読むに至って合点がいった。つまりこれは極めて現代的な、もっと言えば常に現在的であるような、「ブリコラージュ」の産物だったのだ。

クロード・レヴィ＝ストロースの著書『野生の思考』（一九六二年）によって広まったこの言葉は、近現代のアート概念に大きな疑問符を投げかけてきた。もちろん多くのアート関係者は無視し続けた。「器用仕事」「素人仕事」「日曜大工」などと訳される「ブリコラージュ」は長らく〈アート〉から周到に遠ざけられてきたと言える。つまり「それはアートではない」ということで安心安全な場所に収められてきたのである。

レヴィ＝ストロースはこの概念を近代科学に対置している。精密科学や自然科学の発生以前の、われわれの文明の基層をなすものとしての「具体の科学」について書きながら、現在まで保存されている「観察」と「思索」の様式を説明するために、この言葉を登場させている。


神話的思考の本性は、雑多な要素からなり、かつたくさんあるとはいってもやはり限度のある材料を用いて自分の考えを表現することである。何をする場合であっても、神話的思考はこの材料を使わなければならない。手もとには他に何もないのだから。（＊）

時代が一回りしてブリコラージュ的に描かれることになった油彩画。これは非常に興味深い考察対象と言える。油彩画そのものが一定の権威を纏っている時代にこの現象は起こらない。反権威や反芸術の時代にもそれは起こらなかった。今は今で、新しい世代による油彩画もそれなりに人気を博しているが、それは手元に置ける、よく準備された一点もののイラストレーションとしてであり、カジュアルな商品として流通するに至っている。何らかの「コンセプト」（文脈）を説明する役割を担わされているものもあるが、それも説明のためのイラストレーションになっているということだ。

そんな最中での中島の所作であればこそ、現行の「現代美術」文脈に収めるよりも、さらにもうひとまわり引いた視野から理解したい欲望に駆られる。

それでも美術なるものに携わっているのは、少なくとも私にとって、それが最も懐の深いジャンルに感じられるからだ。自分がその都度やりたい表現を行い、それらが一つひとつ積み上がっていった先に、「様々なる意匠」を受け入れてくれる器としての〈アート〉があった。

中島はこのように〈アート〉を発見している。「具体の科学」に特徴的な「観察」と「思索」が発動している。「文脈に従って描くのではなく」というところまでは今も多くの若者が行っているだろう。しかし「ただ描かれたものとしてありながらその時点では文脈化が難しく追って読み解くに値するだけの文脈を持っている」ような絵は滅多に存在できない。だが中島のこの絵は、後年また見出されることになると思う。それはこの絵が、二〇一〇年代から二〇二〇年代に切り替わる独特の時期の東京の、〈ヴァナキュラーな風景〉に微かに触れているだからだ。

現在の東京では美術市場（アートマーケット）がそれなりに活気づいているため、作家の個性を売物にした作品が多く生み出されている。しかしそうして無理矢理に流通化させられている「個性」のほとんどはたいして個性的でもない。それは時間とともに浮き彫りになっていくことだ。今は経済原理的にグローバルな情報が尊ばれており、皆それに応じている。

ヴァナキュラー概念は、市場に上らない、上地に根ざした言葉や文化を指し、イヴァン・イリイチが一九八〇年代に使い始めて世界中で広がった。一般的には都市的なものと対置して語られるが、二〇一三年に書かれ二〇二一年に訳されたジョルダン・サンドの『東京ヴァナキュラー　モニュメントなき都市の歴史と記憶』はこの言葉を現在に至る東京の解読に当てはめてみせている。

六つの章からなるこの書物の中で、一つの章が「逸脱する財産—路上観察学」となっている。「路上観察学」は赤瀬川原平が美学校講師を始めるにあたって開始された「考現学」の教室での実践がひとつの源流になり、一九八〇年代の社会現象にまで発展した運動のようなものだ。もうひとつの源流として藤森照信による建築探偵団の存在も大きい。一九七〇年代、赤瀬川は「芸術」の世界から、藤森は「学問」の世界から、それぞれに逸脱したところで活動を開始していた。

一九八九年生まれの中島にしてみれば、直接的に影響を受ける対象ではなかっただろう。一九九〇年代に入ると赤瀬川らの活動は社会的に見えにくくなっていったし、その後のアート関係者はあまりにラディカルな赤瀬川の芸術観を扱いあぐねてきた、というのが真相ではないだろうか。

しかし、「多様なコンテクストをサンプリングしながら作品を編んできた。ただ、その手法にある種の硬直を感じ始めていたのも事実だ。そんな折に、油絵を描いてみたいと思った」という中島のテキストの中に、わたしは赤瀬川との繋がりを感じるのだ。中島の「ブリコラージュ油彩画」は、赤瀬川が描こうとして描けなかった絵のようにも見えてくる。

「描いてもイラストになっちゃうんだよね」という晩年の赤瀬川の言葉が意味するもののことをずっと考えてきた。その言葉は二〇一〇年に発せられている。この年にアーティストの中村政人が中心となって設立されたアートセンター「アーツ千代田3331」前の居酒屋「一心」でのことだった。その頃、赤瀬川が油彩画の準備をしているという話を聞いていた。

赤瀬川はずっと「前衛」「先端」であろうとした。そして一度は「絵画」を追い越してしまったのだ。その挙句に「芸術」すら追い抜いてしまい、「超芸術」の域にまで辿り着いてしまった。そこから後ろ向きに歩き始めることはできなかっただろう。しかし間違いなく、「絵画」に対する愛情を最後の最後まで持ち続けていた。「赤瀬川さんは本当はただ絵を描いていたかっただけなんじゃないですか」という不躾な問いに対する無言の優しい表情。それがすべてを示していたと思っている。

中島は「文人画」という言葉も使っており、この言葉も職業画家と対置される。しかしより重要なのは「裸を晒すことこそあらゆる芸事の根幹ではなかったか」という原初還りの態度だ。Amazonで「油絵具ファースターセット」なるものを注文してみるという初動のブリコラージュ感。それを使って「展覧会当日にライブペインティングをしてしまう」という無計画さ。職業画家的イラストレーター的に考えたならば完全にアウトであろう。

　結果、「オイル・オン・タウンスケープ」は奇跡的な「絵画への回帰」を果たしている。油彩画上の風景は、荒川区の町屋から、板橋区の西台、渋谷、市ヶ谷濠、麻布、港北ニュータウン、隅田川沿い、千歳烏山へと移動を続ける。そして最後の千歳烏山でついに「高齢化した末ほぼ絶滅した」と思われた「絵を描いている人」の姿を見出す。想像上の古（いにしえ）のストリートに「文化的な遺伝子」と中島は書く。それは血の繋がりもある杉田五郎との関係において語られている。しかしわたしは中島に赤瀬川の遺伝子も感じるのだ。赤瀬川は一九三七年生まれ。中島とは五二年の開きがある。その赤瀬川が路上観察を始めたのも約五〇年前だった。それまでの「前衛」「先端」の概念がそこで変わった。一方、欧米的なコンテンポラリーアートの「前衛」「先端」の概念はずっと変わっていない。そして現在の日本の〈アート〉は欧米的なそれに連なってしまっている。

　路上観察の源流には今和次郎の考現学がある。今和次郎の前には柳田国男の存在があり後には宮本常一の存在もある。彼らはとにかく歩いた。「観察」と「思索」のために。彼らは「議論をする時だってなんだって」他者とともに体を動かすことを同時にしていた。一方、「自己」への大衆的な志向は、まさに赤瀬川が「芸術」から離れようとした時期に広がっていった考え方であると言っていい。美学校が設立された一九六九年は学生運動がピークに達した年でもあったが、その前年にはヒッピーカルチャーやカウンターカルチャーを体現した『ホール・

アース・カタログ』が創刊されている。もちろんアップル創業者のスティーブ・ジョブズなどもその影響下にあったし、日本の若者の多くも自己実現型アメリカ人に憧れた。

そんな話も遠い昔の話になりつつあるわけだが、「これからのこと」としてあるのは、むしろ宮沢賢治が一九二〇年代に書いた『農民芸術概論綱要』の「職業芸術家は一度亡びねばならぬ」という言葉の方ではないかと思うのだ。コロナ禍が世界を覆った二〇二〇年という年はグローバリズムの折り返し地点になったとも言えそうだ。中島の油彩画は、後年、その印のようなものとして見出されるに違いない。

この書物は千歳烏山の駅前再開発を前にして終わるが、あらためて読み直してみると、全編を通して描かれているのは開発真っ只中の東京の姿だ。そうでありながら、つねに「資本主義の〈外部〉」としての〈ヴァナキュラーな風景〉が浮かび上がっている。それは中島が〈アート〉に触れているということでもあるのだろう。東京のヴァナキュラーな現代美術が、今ここで動めいている。

（＊）『野生の思考』（大橋保夫訳／みすず書房刊／一九七六年）二二一頁

本書は、二〇二〇年五月から二〇二二年四月まで論創社のＷＥＢで連載された文章に加筆・修正を加えたものです。

中島晴矢（なかじま・はるや）
一九八九年神奈川県生まれ。
法政大学文学部日本文学科卒業、美学校修了。
現代美術、文筆、ラップなど、インディペンデントとして多様な場やヒトと関わりながら領域横断的な活動を展開。主な個展に「東京を鼻から吸って踊れ」（gallery αM）、グループ展に「SURVIBIA!!」（NEWTOWN）、アルバムに「From Insect Cage」（Stag Beat）など。

オイル・オン・タウンスケープ

二〇二二年六月一〇日　初版第一刷印刷
二〇二二年六月二〇日　初版第一刷発行

著　者　中島晴矢

発行所　論創社
〒一〇一―〇〇五一
東京都千代田区神田神保町二―二三　北井ビル
電話　〇三―三二六四―五二五四
振替口座　〇〇一六〇―一―一五五二六六
web.https//www.ronso.co.jp/

印刷・製本　精文堂印刷

ISBN978-4-8460-2181-8